LES BEAUX MENSONGES
DE L'HISTOIRE

GUY BRETON

LES BEAUX MENSONGES
DE L'HISTOIRE

ÉDITIONS FRANCE LOISIRS

Édition du Club France Loisirs,
avec l'autorisation du Pré aux Clercs.

Éditions France Loisirs,
123, boulevard de Grenelle, Paris
www.franceloisirs.com

© Le Pré aux Clercs, 1999
ISBN : 2-7441-3104-04

Une erreur tombée dans le domaine public n'en sort jamais ; les opinions se transmettent héréditairement. Cela finit par faire l'Histoire.

Rémy de GOURMONT

Plus les mensonges sont énormes, plus ils prennent de place dans les manuels d'Histoire...

Claude AUGER

En Histoire, il n'y a pas de mensonge innocent.

Jacques BAINVILLE

Renan disait à ses amis : « Ne grattez jamais les pages de vos manuels d'Histoire, vous verriez apparaître une autre Histoire, d'autres événements, d'autres personnages très différents de ceux que vous connaissiez !... »

Hélas, je n'ai pas écouté les conseils de Renan et j'ai gratté... Ce que j'ai découvert me prouve que l'auteur de la *Prière sur l'Acropole* avait raison. Le résultat d'un grattage est parfois comique, mais il peut être aussi fort affligeant...

Qu'en pensez-vous ?

G.B.

Il y a deux histoires : L'Histoire officielle,
menteuse. Celle que l'on enseigne... Puis l'His-
toire secrète où sont les véritables causes des
événements.

Honoré de BALZAC

1

DE QUELQUES FARIBOLES DE L'HISTOIRE

Où l'on voit que les druides connaissaient l'astronomie,
que Clovis n'a pas cassé le vase de Soissons,
que Charlemagne n'avait pas de barbe
et que Bonaparte est passé *sous* le pont d'Arcole...

Un gros orage grondait sur Rome et, dans
le café de la via Veneto où nous nous étions
réfugiés à la hâte, d'immenses éclairs venaient
décolorer nos glaces à la pistache.

Un formidable claquement fit sursauter
Maud.

— Je crois, me dit-elle, mi-apeurée, mi-sou-
riante, que la foudre vient de tomber sur le
Capitolin...

Elle me jeta un coup d'œil complice :

— Te souviens-tu de ces vers de Heredia
qu'il nous fallait dire « avec le ton » :

La foudre au Capitolin tombe !
Le bronze sue et le ciel rouge est terne !

Notre professeur de français nous expliquait qu'il y avait là une étonnante évocation musicale du « déchirement de la foudre suivi du roulement du tonnerre »...

— Le mien aussi. Les professeurs doivent se transmettre ce genre de remarque de génération en génération...

Maintenant il tombait une pluie diluvienne.

Maud était songeuse. Je lui pris la main :

— À quoi penses-tu ?

— À l'histoire des oies qui auraient sauvé le Capitole... C'est invraisemblable ! Comment des barbares comme les Gaulois, qui vivaient dans des huttes, auraient-ils pu arriver jusqu'ici et attaquer les Romains ?

— Je crains que tu n'en sois restée à l'image simpliste — et fausse — donnée par les manuels scolaires. Leurs auteurs semblent tout ignorer des travaux de Camille Jullian, Paul-Marie Duval, Henri-Paul Eydou entre autres, grands historiens qui ont su nous brosser un portrait plus exact de nos ancêtres...

— Enfin, c'étaient tout de même des gens assez primitifs pour avoir peur que le ciel leur tombe sur la tête !

— Mais jamais de la vie ! Sais-tu d'où vient cette légende ? Un jour, c'était en 335 avant J.-C., Alexandre le Grand, qui se trouvait alors en Thrace, reçut des ambassadeurs gaulois.

— Des « ambassadeurs » gaulois ?

— Oui, madame ! Il les invita à déjeuner et, au cours du repas, leur demanda ce qu'ils craignaient le plus au monde, pensant bien, dans son immense orgueil, qu'ils allaient lui dire : « Toi ! » Mais les Gaulois lui répondirent fièrement : « Nous ne craignons qu'une chose : que le ciel nous tombe sur la tête... » C'est-à-dire : « Nous ne craignons rien. » Ce qui vexa terriblement Alexandre... Mais des historiens à l'esprit peu ouvert ont pris cette réponse à la lettre. Imagine que, dans mille ans, d'autres historiens, aussi bornés, trouvent dans les archives de la guerre de 14-18 la célèbre phrase criée par le lieutenant Péricard dans une tranchée, en 1915 : « Debout, les morts ! » Ils en concluront qu'au XXᵉ siècle, les Français — encore barbares et superstitieux — croyaient pouvoir, d'un mot, ressusciter les soldats tués par l'ennemi.

— C'est possible...

— Et les lecteurs de leurs ouvrages s'imagineront que nous n'étions pas encore civilisés...

— Tu as raison, mais il n'en reste pas moins que « tes » Gaulois vivaient sous la coupe des druides, ces hommes barbus et incultes dont la seule activité consistait à grimper dans les chênes pour couper le gui avec des faucilles d'or en criant : « Au gui l'an neuf ! »

— Qui t'a dit cela ?

— C'est dans tous les livres de classe...

— Et cela ne t'étonne pas ?

— Non, pourquoi ?

— Cela ne t'étonne pas que des gens s'expriment dans une langue qui n'existera que deux mille ans plus tard ?

— Tu as raison, je n'y avais jamais pensé. Mais alors, que disaient-ils ?

— *Egin an ed* !

Maud ouvrit de grands yeux :

— Quoi ?

— En langue celtique, cela signifie : « Que la germination se fasse bien et que les récoltes soient bonnes ! » C'était un vœu de prospérité.

— Mais cela n'avait aucun rapport avec le gui !

— Aucun.

— Alors pourquoi nous apprend-on cela ?

— Cela fait partie de ce que notre bon maître Mario Roques, qui nous enseignait avec une grande érudition et beaucoup d'humour l'histoire médiévale au Collège de France, appelait des « fariboles historiques »...

— Mais ces druides que l'on nomme pompeusement « prêtres » n'étaient en fait que des sorciers. Ils n'avaient aucune culture...

— Détrompe-toi ! L'un d'entre eux, nommé Diviciac, que César tenait en haute estime, se rendit à Rome en 58 avant J.-C. Il fut reçu par de très éminents personnages de la Curie, parla devant les sénateurs et logea chez Cicéron, qu'il éblouit par ses connaissances en astronomie et en astrologie... C'est l'auteur des *Catilinaires*, dont les connaissances, tu le sais, étaient universelles, qui nous le dit lui-même dans son ouvrage *De divinatione*.

— Un druide chez Cicéron, et parlant d'astronomie ! C'est inimaginable. Alors, les druides ignares et disant « Au gui l'an neuf ! », c'est une faribole historique ?

— Oui.

— Et il y en a beaucoup comme cela, dans les manuels scolaires ?

— C'est bien simple : ils en sont remplis ! Prenons un exemple. Tu as vu hier, au palais de Latran, la mosaïque représentant saint Pierre entouré du pape Léon IV et de Charlemagne, et tu as remarqué un détail qui t'a fait sursauter.

— Oui, l'absence de barbe...

— Exactement ! Le fameux empereur à la barbe fleurie des chansons de geste était imberbe.

— Mais pourquoi « fleurie » ?

— En vieux français, « flori » signifie « blanc ».

— Ce sont donc les auteurs du Moyen Âge qui l'ont doté d'une barbe ? Pour quelles raisons ?

— Parce qu'on ne concevait pas, autrefois, de personnage éminent (roi, empereur, etc.) sans barbe. Souviens-toi de Molière : « Du côté de la barbe est la toute-puissance. » On a même vu des reines porter des barbes postiches, comme Hatshepsout en Égypte, et l'on raconte qu'un jeune druide irlandais au visage un peu efféminé, qui se préparait à accéder à un grade élevé dans la hiérarchie des grands prêtres, se confectionna une fausse barbe avec de l'herbe le jour où il se présenta devant le collège des anciens pour passer ses épreuves...

— Et tu en connais d'autres, de ces « fariboles historiques » ?

— Le vase de Soissons.

— Il n'a pas été cassé par Clovis ?

— Non, car il était en métal. Pour le casser, il aurait fallu un marteau-pilon, instrument que les Francs avaient rarement sous la main... En fait, il n'a été que bosselé, ce qui rend l'histoire dérisoire. Et la question classique des inspecteurs d'académie : « Élève Rigoudin, qui a cassé le vase de Soissons ? » deviendrait : « Élève Rigoudin, qui a bosselé le vase de Soissons ? » Question ridicule, tu en conviendras...

— Une autre « faribole historique » ?

— Bonaparte au pont d'Arcole.

— Il n'y était pas ?

— Si, mais le célèbre tableau de Gros le représentant en train de passer gaillardement le pont, un drapeau à la main, est faux. Les choses se sont déroulées tout à fait différemment. On était le 15 novembre 1796. Ce jour-là, Bonaparte, général en chef de l'armée d'Italie, se trouve près du village d'Arcole, où sont massés les Autrichiens. Pour aller vers l'ennemi et engager la bataille, un seul moyen : utiliser un petit pont de bois qui enjambe un affluent de l'Adige. Devant cette passerelle, les soldats semblent hésiter. Alors Bonaparte s'empare d'un drapeau et s'élance, non pas seul, mais entouré de son état-major. Une fusillade éclate presque aussitôt, et Muiron, l'aide de camp, s'écroule, tué net. C'est l'affolement. Bonaparte tombe dans la rivière, perd son chapeau, barbote un moment, manque de se noyer, appelle à l'aide et finit par être repêché au moment où il coule. Il est trempé, hébété, couvert de boue ; de plus, il ignore ce qu'il a fait de son drapeau. On le hisse sur la berge, où des officiers le réconfortent... Un des plus célèbres épisodes de l'histoire napoléonienne — celui que relatent tous les manuels scolaires — est terminé. Mais contrairement à la légende, le pont d'Arcole ne sera jamais franchi...

— Quelle histoire ! dit Maud en riant. C'est Charlot soldat...

— Tu imagines le tableau désolant qu'aurait dû faire le baron Gros s'il avait respecté la vérité ? Bonaparte à quatre pattes, barbotant dans une eau boueuse ?

Maud se tordait :

— ... Avec le chapeau de travers, un poisson dans l'oreille et une grenouille sur la tête ! Je vois ça d'ici !

— Tu devrais faire des dessins humoristiques, lui dis-je.

La pluie s'était arrêtée. Un peu de ciel bleu apparaissait même au-dessus de la via Veneto.

— Regarde, chérie, il y a de quoi tailler une culotte de garde pontifical...

Mais Maud ne m'écoutait pas. Elle réfléchissait :

— Il y a une chose que tu as oublié de me montrer, dit-elle soudain, c'est l'endroit où Charlemagne est venu se faire couronner empereur en l'an 800... Voilà au moins un fait incontestable. Nous apprenions cela par cœur à l'école...

— Oui, mais il n'en contient pas moins une petite partie de « faribole historique », si j'ose dire...

— Allons bon ! Que s'est-il passé, alors ?

— Raconte-moi d'abord ta version des faits. C'est-à-dire l'histoire telle que tu l'as apprise.

— Eh bien, Charlemagne, qui était maître d'une partie de l'Europe, décida un jour d'aller à Rome pour se faire couronner empereur d'Occident par le pape.

— C'est là que réside l'erreur. En réalité, Charlemagne s'était rendu à Rome, à la fin de l'automne de l'an 800, pour présider un tribunal chargé de juger Léon III, que ses ennemis accusaient pêle-mêle d'être adultère, sournois, parjure, menteur et pédéraste...

— Ce qui était beaucoup pour un seul pape.

— Un jour, au cours d'une procession, des gens s'étaient jetés sur lui. Certains avaient essayé de lui crever les yeux pendant que d'autres s'efforçaient de lui couper la langue.

— Charmante époque !

— Bref, il n'était pas aimé... Un grand procès avait donc été prévu pour juger le pape, procès dont Charlemagne devait diriger les débats. Ce qui le comblait de joie car, malgré sa sympathie pour Léon III, il était heureux de montrer sa puissance et surtout son indépendance à l'égard de la papauté ! Cette indépendance lui était si chère que, depuis quelque temps, il envisageait d'épouser l'impératrice Irène, qui régnait à Constantinople, pour devenir empereur sans rien devoir au pape...

« Le 23 décembre, le procès se termina d'une façon inattendue qui déçut visiblement Léon III. Au lieu de conclure à l'innocence de l'accusé, Charlemagne décida que celui-ci devait se disculper par serment. Ce qui revenait à dire qu'il n'existait aucune preuve de sa blancheur d'âme. On vit alors le Saint-Père monter en chaire et jurer, la main sur les Évangiles, qu'il n'était ni adultère, ni parjure ni pédéraste... Humiliation dont il devait se souvenir.

« Le surlendemain, 25 décembre, Charlemagne se rendit à la basilique Saint-Pierre pour assister à la messe de Noël à laquelle il avait été convié. Le pape l'attendait sous le porche. Il le bénit, puis, avec un grand sourire, lui dit d'un ton suave :

« — Allons prier, mon fils !

« Le roi franc s'inclina et, sans méfiance, alla s'agenouiller devant le maître-autel, où il se prosterna.

« Or, au bout d'un moment, tandis qu'il priait avec toute la ferveur dont il était capable, il lui sembla que l'on posait sur sa tête un objet rond et métallique. Il se redressa, un peu étonné, et comprit : le pape, qui se tenait devant lui et lui souriait d'un air hypocrite, _venait de le couronner empereur par surprise_ ! Immédiatement, tout le haut clergé, qui était dans le secret, se mit à crier : "À Charles Auguste couronné par Dieu grand et pacifique empereur, vie et victoire !"

« Phrase que tous les fidèles reprirent en chœur avec un tel enthousiasme que Charlemagne comprit qu'il lui était impossible de manifester le moindre mécontentement sans provoquer un scandale. Furieux, mais calme — son "secrétaire" Éginhard nous dit qu'il "serrait les poings" —, il se rendit jusqu'à la place qui lui était réservée pour entendre la messe.

« Ainsi, il était empereur par la grâce du pape... Cette position de dépendance à l'égard de Rome l'agaçait. Elle l'aurait agacé bien plus encore s'il avait pu deviner que l'Empire d'Occident et la France allaient en être marqués pour des siècles...

— Il ne se vengea pas ?

— Si, quelques jours plus tard, quand il gracia les émeutiers qui avaient voulu crever les yeux du pape et lui couper la langue.

— Bien fait ! dit Maud.

— Je n'ai pas besoin de te dire que, à partir de ce moment, les deux hommes se détestèrent cordialement... D'autant que Léon III devint bientôt jaloux.

— Jaloux de qui ?

— D'un éléphant.

— Tu me racontes n'importe quoi.

— Mais je t'assure ! Le pape était jaloux d'un éléphant.

— Qu'est-ce que c'est encore que cette histoire ?

— À la fin du mois d'avril 801, Charlemagne quitta Rome, où il avait passé près d'un an, et s'arrêta à Pavie. Là, il reçut la visite de deux envoyés d'Haroun al-Rachid qui lui apprirent que le calife de Bagdad, leur maître, le saluait et lui offrait un petit cadeau. L'éléphant en question. En apprenant qu'Haroun al-Rachid avait offert un éléphant à Charlemagne, le pape fut atrocement vexé, parce que le calife de Bagdad s'était contenté de lui faire envoyer, en hommage, un bouton de sa tunique.

— Je comprends son amertume ! Un éléphant à l'un et un bouton de culotte à l'autre !

— De tunique...

— Même de tunique, ce n'est pas très équitable. La vie des papes est très curieuse, finalement. J'ai lu l'autre jour dans un magazine des révélations ahurissantes sur le conclave. Tu savais, toi, qu'après l'élection, un chanoine venait, à quatre pattes, s'assurer, grâce à un trou pratiqué dans le trône pontifical, que le nouvel élu était bien doté de tous les attributs masculins ? Et qu'il annonçait ensuite à haute voix et à l'abri du latin que les organes étaient au complet ?

— C'est incroyable !

— N'est-ce pas ?

— Oui, incroyable que de telles calembredaines soient encore colportées !

— Pourquoi, c'est faux ?

— Mais bien sûr que c'est faux !

— Alors les chanoines ne vont pas trifouiller dans la culotte du pape ?

— Mais non ! ils ne vont pas « trifouiller » comme tu dis si joliment, ni là ni ailleurs...

— La revue montre pourtant une reproduction du fauteuil spécial où le pape est assis pour cette opération. Il porte même le nom bizarre de « fauteuil stercoraire ».

— Ce qui est une façon distinguée de dire « chaise percée ». En réalité, si l'on faisait asseoir le nouveau pape sur ce siège, c'était pour lui signifier qu'il n'était pas un dieu, mais un homme comme les autres, assujetti aux « servitudes propres à la nature humaine ».

— Mais alors, pourquoi avoir inventé cette histoire d'« examen prénuptial », si j'ose dire ?

— À cause d'une autre « faribole historique », l'histoire de la papesse Jeanne.

— Ah, cela m'aurait étonnée qu'il n'y ait pas une femme là-dessous !

— Et quelle femme ! Nous en parlerons à Paris...

L'orage s'était éloigné et la via Veneto resplendissait maintenant sous le soleil. Maud soupira :

— Quel dommage que nous soyons obligés de rentrer demain à la maison ! Je suis sûre que nous aurions pu découvrir encore bien d'autres « fariboles historiques » en nous promenant dans Rome.

— Rassure-toi, à Paris, je t'en trouverai à foison.

Le lendemain, nous regagnâmes la France. À côté de moi, dans l'avion, Maud avait un sourire gourmand.

— À quoi penses-tu ?

— À l'attentat de l'Observatoire...

SOURCES

CICÉRON : *De divinatione*, Éd. Les Belles Lettres, 1992.

Camille JULLIAN : *Histoire de la Gaule*, Éd. Hachette, 1920.

ÉGINHARD : *Vie de Charlemagne* (IXe siècle).

Louis HALPHEN : *Charlemagne et l'Empire carolingien*, Éd. Albin Michel, 1943.

Anne de LESELEUC : *Nos ancêtres les Gaulois, Historia* n° 445, H.S.

Paul-Marie DUVAL : *Les Gaulois savaient écrire, Historia* n° 447.

Jean-Paul SAVIGNAC : *Les Gaulois, leurs écrits retrouvés*, Éd. de la Différence, 1994.

Françoise LE ROUX et Christian-J. GUYONVARC'H : *Les Druides*, Éd. Ouest-France Université, 1986.

2

LA PAPESSE JEANNE N'A PAS EXISTÉ

*Où l'on voit que les papes n'ont jamais
été « tâtés » lors de leurs conclaves*

Le lendemain soir, Maud, qui avait disparu tout l'après-midi, rentra à la maison vers sept heures et surgit dans mon bureau avec un air triomphant.

— Je viens de la Nationale où j'ai trouvé un livre passionnant et je sais tout sur ta papesse ! C'était une drôlesse, dis donc !

— Je suis curieux de savoir ce que tu as appris.

— Je vais te le dire. J'ai là un monceau de notes. Écoute...

Elle s'installa dans un fauteuil.

— Vers 850, un jeune moine d'une grande érudition vint enseigner à Rome, au monastère de Saint-Martin, où saint Augustin avait lui-même professé. Ce personnage aux traits fins et à la voix douce avait été surnommé Jean l'Anglais « pour ce que, nous dit-on, il était d'origine britannique ». On s'en serait douté... Éloquent, versé en théologie et en toutes sortes de sciences, aussi bien sacrées que profanes, il passionnait un auditoire chaque jour plus vaste et fut nommé « prince des savants »... Tout le monde l'admirait, non seulement pour son savoir, mais encore pour sa vie d'une pureté exemplaire. Écoute ceci : « Jamais on n'avait vu son regard se poser sur les jeunes Romaines avec cette lueur de concupiscence qui brillait parfois dans les yeux des plus sages ecclésiastiques. » Et pour cause, diras-tu...

— Je ne dis rien. J'attends la suite.

— Ce jeune moine acquit un tel renom de sainteté, de science et de sagesse que, lorsque le pape Léon IV mourut en 857, tout le clergé le désigna pour lui succéder et il fut élu sous le nom de Jean VIII. Il se consacra dès lors uniquement aux devoirs de son pontificat et le bon peuple en fut déçu : « Il paraît qu'il est si beau, disaient les commères, on aimerait bien le voir ! » Mais le nouveau pape demeurait enfermé dans son palais... Au printemps, la joie fut grande lorsqu'on annonça que S.S. Jean VIII, le jour de l'Ascension, participerait, à dos de mule, à la procession qui devait traverser Rome.

Maud s'interrompit et me regarda, un peu anxieuse :

— Je peux continuer ?

— Mais oui, continue, continue, c'est passionnant !

Elle poursuivit :

— Dès le matin, une foule extraordinaire se pressait sur les trottoirs pour voir ce pape prestigieux. Lorsqu'il apparut, abrité sous un grand dais, chevauchant sa mule blanche superbement harnachée, ce fut du délire. Les hommes, à genoux, poussaient des acclamations et les femmes se pâmaient : « Qu'il est beau ! Qu'il est gracieux ! Regardez ces yeux, ce sourire et ce geste charmant pour nous bénir... Jamais on n'a vu un pape aussi mignon ! » Et le Saint-Père, du haut de sa monture, avait l'air d'envoyer des baisers à la foule.

— Quel merveilleux reportage ! On s'y croirait !

— Ne te moque pas !

— Je ne me moque pas. J'attends la suite avec impatience.

— Alors je continue... Soudain, il se passa quelque chose d'extraordinaire : le pape, semblant pris d'un malaise, tomba en avant sur le cou de sa mule, puis il gémit, porta ses mains à son ventre, poussa un grand cri et s'écroula sur le sol. Des cardinaux se précipitèrent pour le relever. On aperçut alors, entre les jambes du Saint-Père, un nouveau-né qui gisait sur le sol... La foule, médusée, dut se résoudre à croire l'incroyable : le pape venait d'accoucher d'une petite fille.

— Ainsi ce Saint-Père était donc plutôt une Sainte-Mère.

— Ne plaisante pas... Imagine la stupéfaction, la colère, l'horreur, le dégoût, la révolte des braves gens agenouillés sur les pavés ! Ce pape aux yeux de velours, aux gestes charmants, à la voix suave était donc une femme ! La chrétienté était donc gouvernée par une papesse ! La papesse Jeanne ! À cette créature sacrilège et adultère, il fallait un châtiment exemplaire. Des cris montèrent de la foule : « À mort ! À mort ! » Et déjà des groupes se précipitaient pour massacrer la mère et l'enfant quand un cardinal s'interposa : « Arrêtez ! Dieu y a pourvu ! » En effet, la « papesse » était morte en accouchant et sa fille n'avait pas survécu à sa chute sur le pavé. Un sentiment de stupeur envahit alors la foule qui venait d'être témoin d'un événement sans précédent.

— Bravo ! J'ai l'impression d'avoir assisté à une excellente émission de télévision.

— Tu es méchant ! Tout ce que je viens de te raconter là, je l'ai trouvé à la BN cet après-midi.

— Je n'en doute pas ! On trouve tout à la BN, comme dans certain grand magasin.

— Je me suis contentée de résumer les faits...

— Et sur cette femme qui a occupé indûment le trône pontifical pendant quelques années, as-tu trouvé des renseignements ?

— Bien sûr !

— Le contraire m'eût étonné. Je t'écoute.

— Elle serait née à Mayence, où elle fit d'excellentes études. Assez tôt, elle adopta le costume masculin pour voyager. Elle partit ainsi avec un ami en Grèce, puis en Angleterre, où elle étudia la philosophie, la théologie, l'astronomie et diverses autres sciences. Son compagnon étant mort, elle se rendit alors à Rome, où elle enseigna pendant des années sans que personne soupçonnât jamais son véritable sexe. Ayant subjugué le clergé et tous les intellectuels romains par sa science, elle fut, comme je te l'ai dit, désignée pour remplacer Léon IV à sa mort. À ce moment, un problème se posa. Problème très important. Jean l'Anglais n'était pas prêtre. C'était un laïc. Il lui fallait donc, avant toute chose, être ordonné pour devenir pape...

— Quelle histoire !

— Ne ris pas.

— Une question : était-il baptisé ? Parce qu'on aurait pu tout faire d'un coup : le baptême, la première communion, la confirmation, l'ordination et l'élévation sur le siège de saint Pierre...

— Arrête de plaisanter et laisse-moi continuer. Sous le nom pontifical de Jean VIII, cette femme exceptionnelle gouverna d'abord la chrétienté avec beaucoup de sagesse. Elle composa des textes pour différentes messes, créa les quatre-temps, consacra des églises et se fit remarquer par une profonde piété... Hélas ! la gourmandise devait la perdre. Elle aimait les petits plats, la pâtisserie...

— Tu ne vas pas me dire qu'elle aimait les religieuses.

— Ah, c'est drôle, tu peux être fier ! Non, mais elle aimait la cuisine riche et pimentée. Ce qui la conduisit au péché. On nous dit qu'« une nourriture trop délicate la fit tomber dans la licence » et qu'elle se laissa séduire par Lambert de Saxe, qui était ambassadeur à Rome.

— Allons bon ! Et il lui fit un enfant ?

— Exactement ! Ce bébé qui naquit dans la rue le jour de l'Ascension 858.

— Tu devrais écrire des romans pour la collection Harlequin...

— Mais je n'invente rien ! J'ai trouvé tout cela — et bien d'autres choses encore — à la Nationale.

— Stupéfiant ! Oui, il est stupéfiant que l'on possède autant de renseignements précis et détaillés sur un personnage qui n'a pas existé.

— Quoi ?

— Mais oui, ma chérie, je suis désolé de te l'apprendre, mais ta papesse Jeanne a été entièrement inventée par des auteurs qui voulaient ridiculiser la papauté... Tout est parti d'un sobriquet que l'on donna par dérision au pape Jean VIII lorsqu'il eut la faiblesse de reconnaître le patriarche byzantin Photius, qui avait été banni. Le souverain pontife fut accusé par ses adversaires de s'être conduit en cette occasion, « comme une femme », et ils déclarèrent : « Ce n'est pas un pape que nous avons, c'est une papesse ! » Le mot amusa le petit peuple qui, dès lors, surnomma Jean VIII la « papesse Jeanne »...

« Les choses auraient pu s'arrêter là et il ne serait resté, pour les historiens de la papauté, qu'une amusante anecdote. Mais des auteurs épris de pittoresque et par ailleurs totalement dénués de scrupules allaient s'en mêler. Par leurs soins, l'embryon de personnage qui existait sous la forme d'un sobriquet allait, dès le XIIIe siècle, prendre corps... Comme si, dans quatre cents ans, des historiens, se fondant sur le surnom de Florentin donné à François Mitterrand, imaginaient qu'un personnage mystérieux né à Florence avait dirigé les affaires de la France de 1981 à 1995 et lui prêtaient des aventures rocambolesques... La papesse Jeanne apparut donc dans des chroniques et, peu à peu, son histoire s'enrichit de détails truculents... Pétrarque s'en empara, puis Boccace qui, avec sa verve habituelle, transforma la papesse en une véritable dame galante... Ce qui n'empêcha pas les constructeurs de la cathédrale de Sienne de faire figurer son portrait en bonne place sur un médaillon, et le Grand Inquisiteur Torquemada de l'admettre parmi les plus glorieux pontifes.

— Mais les aventures qu'on lui prêtait, ses amants, sa grossesse, son accouchement en pleine procession ne choquaient personne ?

— Apparemment non ! On entourait tout cela d'un flou artistique. Et il faudra attendre la Réforme et les sarcasmes des protestants

pour que les gens d'Église s'émeuvent, aient
l'idée de faire des recherches, remontent aux
sources et découvrent la vérité... Dès lors, la
papesse Jeanne sera gommée de l'histoire de
Rome, non seulement par les historiens catho-
liques, mais — il faut le souligner — par les
auteurs protestants qui, avec beaucoup d'honnêteté et malgré leur désir de ridiculiser la
papauté, démontrèrent que cette papesse
n'avait jamais existé. Ce qui n'empêchera pas
quelques « écrivassiers » comme ceux dont tu
as lu les ouvrages à la BN de continuer à
raconter en détail la vie de ce personnage
légendaire, et certains pseudo-historiens ama-
teurs de rabelaiseries d'enrichir la cérémonie
du conclave de scènes graveleuses dont tu as
trouvé la description dans un magazine...

Maud sursauta :

— C'est vrai, j'avais oublié que toute notre
conversation venait de là ! Mais je ne vois pas
quel lien peut exister entre cette papesse et le
trifouillage rituel dans la culotte du pape...

— Eh bien, certains auteurs affirment que
l'Église, voulant éviter le retour d'une femme
sur le trône de saint Pierre, avait décidé de
charger des chanoines d'aller vérifier *de manu*
le sexe du nouveau pape... Histoire entièrement inventée, ai-je besoin de te le dire ?

Maud me jeta un regard en coulisse :

— Et voilà comment une papesse qui n'a jamais existé est à l'origine d'une légende qui a fait pendant un temps de Rome... (elle baissa la tête), pardonne-moi cette mauvaise plaisanterie, un Saint-Siège... percé !

— Pour ta pénitence, dis-je, tu me serviras un scotch !

SOURCES

Laurence DURRELL : *La Papesse Jeanne*, Éd. Buchet Chastel, 1974.

Emmanuel ROÏDIS : *La Papesse Jeanne*, traduit du grec par Alfred Jarry, Éd. Actes Sud, 1992.

Dr CABANÈS : « La fable de la papesse », dans *Les Indiscrétions de l'Histoire*, tome 1.

Jacques HEERS : *Le Moyen Âge, une imposture*, Éd. Perrin.

Florimond de RAEMOND : *Erreur populaire de la papesse Jeanne*, 1595.

Duc de CASTRIES : *La Papesse Jeanne, vrai ou faux ? Histoire pour tous*, n° 10.

Michèle DELIGNAC : *La Papesse Jeanne, Historia*, n° 141.

ANONYME : « La légende de la papesse Jeanne », dans *Actualité de l'histoire mystérieuse*, n° 18.

Joseph SANTO : « La papesse Jeanne », dans *Histoire falsifiée, vérité rétablie*.

Paul-Éric BLANRUE : « Y a-t-il eu une papesse Jeanne ? » *Le Crapouillot*, « Les mensonges de l'Histoire », n° 125, septembre 1996.

3

L'ENVERS DU ROI DAGOBERT

*Où l'on voit que le « bon » roi Dagobert
était un souverain cruel*

Maud a acheté pour sa nièce une réédition du délicieux album de chansons enfantines illustrées par Boutet de Monvel. Elle les lisait, ce matin-là, dans un fauteuil de mon bureau, avec un plaisir évident. De temps en temps, je l'entendais fredonner : « Et ron, et ron, petit patapon »... ou bien : « Il reviendra-z-à Pâques ou à la Trinité »... ou encore « La tour, prends garde, la tour, prends garde »...

Soudain, elle releva la tête :

— La chanson du roi Dagobert, je suppose qu'elle n'a rien d'historique ?

— Tu as raison. Elle a été écrite par le comte d'Estournel, qui vécut plus de mille ans après ce personnage, lequel, s'il n'était pas étourdi au point de mettre sa culotte à l'envers, avait d'autres défauts.

— Lesquels ?

— Il était d'une grande cruauté : une nuit, il fit égorger dix mille Bulgares, hommes, femmes et enfants, venus se mettre sous sa protection.

— Oh, l'infâme ! Et c'est ce personnage que l'on apprend aux enfants à appeler le « bon roi Dagobert » ?

— Il était également d'une grande fourberie. Lorsqu'un de ses hommes l'avait trompé ou lorsqu'un de ses comtes tramait quelque complot, il se faisait amener le coupable qui, tu l'imagines, arrivait en tremblant. Il le recevait alors avec un bon sourire et l'assurait qu'on ne toucherait pas un seul cheveu de sa tête. L'autre, mis en confiance, se prosternait devant Dagobert.

« — Mets-toi à genoux, lui disait le "bon" roi, et demande-moi pardon. Après quoi il ne sera jamais plus question de cette affaire entre nous...

« Le coupable, ravi d'en être quitte à si bon compte, s'agenouillait et baissait la tête. Alors Dagobert faisait un signe à l'un de ses gardes, un colosse nommé Berthaire, qui s'approchait sans bruit et, d'un seul coup d'épée, tranchait la tête du traître. Or l'habileté de Berthaire était si grande que son épée atteignait le cou

sans qu'un seul cheveu fût touché. Et Dagobert était heureux d'avoir tenu parole.

— Quel ignoble individu !

— Tu as raison, mais ce genre de fourberie
était courant à l'époque. Clovis, par exemple,
pour régner tranquillement, utilisait une
méthode sur laquelle, sans doute, tu trouverais
à redire, mais qui était très efficace. Ayant fait
périr la plupart des membres de sa famille sus-
ceptibles de prendre sa place sur le trône, il
avait découvert un moyen pour éliminer ceux
qu'il aurait oubliés. Au cours de ses voyages
dans le royaume, il faisait installer une estrade,
y montait d'un air triste, regardait longuement
la foule rassemblée à ses pieds et, brusquement, se mettait à pleurer : « Malheur à moi,
disait-il, resté comme un voyageur parmi les
étrangers, et qui n'ai plus de parents pour le
secourir dans l'adversité... » Cette ruse était
grossière, mais il y avait toujours un cousin
éloigné qui, pris de compassion, venait se
prosterner devant Clovis. « Je suis là, moi,
Monseigneur, et je suis de ta famille ! » Alors
Clovis le faisait tuer aussitôt.

— Quel sale type !

— Charlemagne était plus immonde
encore. Un jour, il apprit que des nobles cons-
piraient contre lui. Après avoir promis de leur

accorder son pardon, il les envoya prier dans une église. « Quand vous aurez fait vos dévotions, leur dit-il, vous ne me verrez plus jamais en colère contre vous ! »

« En effet, ils ne devaient jamais plus le voir en colère. Ils ne devaient même jamais plus le voir du tout, car à la sortie du sanctuaire, des soldats leur crevèrent les yeux.

— Arrête ! Ces gens étaient abominables !

— C'est ce qu'on a appelé l'« humour carolingien ». Humour qui n'était pas apprécié par tout le monde, tu t'en doutes... Mais revenons à Dagobert, ce « bon roi » dont nos chères petites têtes blondes chantent les exploits. Outre ses ignobles manières, c'était un obsédé sexuel.

— Il ne manquait plus que cela !

— À douze ans, il viola une bergère au pied de la butte Montmartre.

— Et l'on prétend que nos enfants sont précoces !

— Plus tard, alors qu'il entendait chanter matines dans une église de Reuilly, il fut séduit par la voix d'une novice. Aussitôt, il demanda qu'on la lui amène. La supérieure refusa, disant que la jeune chanteuse était religieuse.

« — Je suis le roi, hurla Dagobert. Elle est à moi !

« — Elle est d'abord à Dieu, répliqua doucement la mère. Ne l'oublie pas.

« À bout d'arguments, le roi s'inclina :

« — Je vais l'épouser, dit-il.

« On fit alors venir la novice, prénommée Nanthilde, et Dagobert, qui avait le sang vif, sauta illico sur elle et la viola copieusement.

— Copieusement ? dit Maud, rêveuse. Tu as de ces expressions !

— Après quoi, il l'emmena dans sa villa et répudia sa femme.

— C'est honteux, s'écria Maud, et je commence à comprendre pourquoi saint Éloi lui disait sans arrêt : « Oh, mon roi ! » C'est parce qu'il était scandalisé !

— Cette nouvelle épouse n'empêcha pas Dagobert de mettre dans son lit toutes les filles du palais. Un jour, il ramena de Senlis une jeune blonde qu'il avait remarquée alors qu'elle filait la laine devant sa maison, et l'installa au foyer conjugal. Elle s'appelait Ragnétrude. Nanthilde, qui était bien élevée, ne dit rien. Elle fit seulement un peu la tête lorsque Ragnétrude accoucha d'un petit Franc qu'on baptisa Sigebert. Dagobert fut si content d'avoir un héritier qu'il engagea une jeune servante de quinze ans pour fêter l'événement et l'introduisit dans le lit conjugal, lequel commençait, tu t'en doutes, à être bien petit pour tout ce beau monde.

— Quel cochon, ce bonhomme ! Et ça t'amuse !

— Écoute la suite : il se souvint alors qu'il avait un demi-frère à Toulouse, qui pouvait, un jour, disputer le trône à Sigebert. Alors il le fit décapiter par des amis sûrs...

— Quel monstre !

— Eh bien, cet acte que tu as l'air de déplorer ne choqua personne. Au contraire, Dagobert n'ayant fait assassiner aucun parent depuis longtemps, les grands du royaume craignaient de le voir s'efféminer... En apprenant la mort du Toulousain, ils furent rassurés : le roi était toujours le roi. Alors, pour leur prouver qu'il était, en outre, resté très viril malgré ses trente-trois ans — ce qui était alors un âge respectable —, il prit une nouvelle concubine, nommée Wulfgunde. Cette jeune femme, qui était fort experte aux jeux du lit, déclencha chez Dagobert une véritable boulimie amoureuse, au point qu'il transforma sa cour en un extraordinaire lieu de débauche et qu'on le surnomma le Salomon des Francs...

— Cette Wulfgunde n'était qu'une drôlesse !

— Peut-être... Mais il paraît qu'elle avait de très jolis yeux myosotis et un air angélique.

— J'ai remarqué que la plupart des putains avaient cet air-là, dit Maud d'un ton suave.

— Les bonnes manières amoureuses qu'elle avait enseignées à Dagobert furent si efficaces que la reine Nanthilde en profita et qu'elle donna bientôt, à son tour, un héritier à la couronne. On le baptisa Clovis, ce qui déplut à Ragnétrude. Pour la consoler, Dagobert nomma immédiatement Sigebert, alors âgé d'un an, roi d'Austrasie.

— Ben voyons...

— Alors, voyant que ses deux compagnes étaient réconciliées, Dagobert, qui n'aimait pas les situations simples, prit une nouvelle épouse officielle : une blonde capiteuse nommée Berthilde. Or Berthilde était, comme on dit, en puissance d'époux... Dagobert, en bon chrétien qui ne voulait pas commettre d'adultère avec une femme mariée, eut une idée fort simple : il fit tuer le mari gênant. Dès lors, il put sans remords entrer dans la couche de Berthilde. Le chroniqueur Frédégaire nous dit qu'il y demeura cinq jours entiers. Ce qui leur donna le temps de faire connaissance...

— Tu es odieux !

— En sortant du lit, il aurait même dit :
« Maintenant, je la connais comme ma
poche... » Mais je ne te garantis rien.

— Tu as raison parce que cela me semble
bien gaulois de la part d'un Franc.

— Ces trois compagnes officielles ne lui
suffisant pas, il installa bientôt trente concubi-
nes dans des maisons voisines de son palais.
Lorsqu'il recevait une ambassade, il faisait
figurer son harem à ses côtés. Et toutes ces
dames, ravies d'être à l'honneur, croupillon-
naient de plaisir.

— Et voilà le souverain qui est chanté par
nos enfants ! C'est scandaleux !

— Dagobert mourut enfin en 638, à l'âge
de trente-six ans, complètement épuisé par la
luxure...

Maud était pensive :

— Au fond, dit-elle soudain, en y réfléchis-
sant bien, il n'est pas impossible que, troublé
par une dame ardente qu'il venait de quitter,
il ait remis un jour sa culotte à l'envers.

SOURCES

Roger RÉGIS : *Le Vrai Roi Dagobert*, Éd. Grasset.
Lucien DOUBLE : *Le Roi Dagobert*, 1879.
FRÉDÉGAIRE : *Chronique Gesta regis Dagoberti.*

4

UNE LÉGENDE : LE DROIT DE CUISSAGE

*Où l'on voit que le fameux « droit du seigneur »
est une invention du XVIIIᵉ siècle*

Maud feuilletait un grand quotidien du matin en hoquetant de rire.

— Que lis-tu de si drôle depuis dix minutes ? Ce n'est pourtant pas une revue humoristique. On croirait que tu es plongée dans *L'Os à moelle*, le journal de Pierre Dac, avant la guerre.

— Je n'ai pas connu *L'Os à moelle*, mais la presse quotidienne, aujourd'hui, contient des informations parfois ahurissantes que Pierre Dac, peut-être, n'aurait pas osé inventer... Regarde ces titres !

Je lus : « Un enfant de 12 ans viole sa grand-mère », « À la crèche, un enfant de 7 ans vole la culotte de la puéricultrice », « Un garçonnet de 11 ans demande un jour de congé à son institutrice pour aller à la maternité voir le bébé que vient de mettre au monde une de ses camarades de classe — bébé dont il est l'heureux papa », « Le jour de sa promesse, un scout viole sa cheftaine »... À la rubrique de politique étrangère, on pouvait lire : « Le président Clinton retire son pantalon devant une secrétaire et lui demande de faire quelque chose pour les États-Unis. Elle porte plainte pour harcèlement sexuel... » Et enfin, cette information scientifique qui expliquait peut-être tout ce que je venais de lire : « Tout indique un réchauffement de la planète ».

— Clinton doit penser qu'il a un droit de cuissage sur ses collaboratrices, soupira Maud, comme les seigneurs du Moyen Âge.

— Droit de cuissage, je te le précise tout de suite, qui n'a jamais existé.

— Quoi ?

— Mais oui. C'est encore une invention des « historiens » du XVIIIe siècle, reprise et amplifiée par ceux du XIXe, le principal coupable étant Voltaire.

— Voltaire ?

— Ce n'est d'ailleurs pas sa première invention. Il avait déjà créé le Masque de Fer, lequel, comme tu le sais, était en velours... Mais les fariboles de Voltaire avaient tout pour séduire les historiens et les auteurs de manuels d'Histoire des années 1850-1870. Ceux que Jacques Heers appelle joliment les « tâcherons de la pédagogie à la mode de Jules Ferry »...

— Pourquoi « à la mode de Jules Ferry » ?

— Parce que c'est ce sinistre politicien à rouflaquettes qui, lorsqu'il s'intéressa aux écoles publiques, donna à l'enseignement primaire cette orientation navrante. Sa haine de l'Ancien Régime et de la religion catholique le conduisit à créer, selon le mot de Jacques Heers, une « véritable tyrannie intellectuelle ». Les professeurs d'Histoire et les auteurs de manuels devaient présenter aux jeunes Français un passé caricatural pour les dégoûter à tout jamais d'un régime non républicain. Ces enseignants « jules-ferryens » et ces pseudo-historiens n'hésitaient pas à noircir le passé et même à inventer de toutes pièces un Moyen Âge grand-guignolesque rempli d'oubliettes (qui n'ont jamais existé) et de ceintures de chasteté (entièrement inventées)...

— J'en ai pourtant vu deux au musée de Cluny !

— Elles ne datent pas du Moyen Âge, mais du XVIIe siècle ; en outre, ni l'une ni l'autre ne sont françaises... Écoute ce qu'en dit un spécialiste, Edmond Haraucourt, qui fut conservateur du musée de Cluny :

« Finissons-en avec cette légende !

« Parce que la justice des hommes, un beau matin, a dû s'occuper du pharmacien Parat[1] et de sa légitime épouse, voilà que l'injustice s'abat sur des millions de Françaises et de Français, qui en deviennent les victimes sans même pouvoir protester. Ils ont à leur silence une merveilleuse excuse : ils sont morts. Chacun sait qu'on peut calomnier les morts ; mais on abuse vraiment, et trop de générations ensemble pâtissent à cette heure des fantaisies d'un fou ! Je proteste au nom des défunts ; rétablissons la vérité.

« À propos de cet apothicaire, on évoque le Moyen Âge ; il en ressuscite les coutumes, nous dit-on ; le harnais dont il sangle sa femme emprisonnée est un vieux legs du Moyen Âge ; nos aïeux, qu'ils fussent nobles ou roturiers, quand ils s'en allaient en croisade ou s'éloignaient pour leur commerce, prenaient ces précautions de fer. Un peu partout on nous l'affirme ; à la vitrine des marchands de cartes postales, la preuve s'exhibe, et les deux ceintures de chasteté que possède le musée de Cluny apparaissent pour témoigner.

---

1. Accusé de faire porter une ceinture de chasteté à son épouse.

« — Allons voir ça !

« On y vient en bande, ou même en famille. Depuis un mois, chaque dimanche, le plancher de la salle où gisent les deux objets craque sous le poids de la multitude trop dense : en cette foule de curieux, les gens bien informés expliquent à mi-voix les mœurs secrètes du temps passé, les demoiselles tendent l'oreille, les dames ont un haut-le-corps et protestent au nom de leur dignité outragée par la barbarie des siècles.

« — Quelle horreur, tout de même ! Il fallait être des sauvages ! Heureusement que c'est passé, ce temps-là !

« Rassurez-vous, mesdames. Ce temps-là n'a jamais existé. Les deux ceintures que voici furent ignorées du Moyen Âge, totalement ignorées. L'une date du XVIIe siècle et elle est allemande, comme l'indique le style de sa décoration ; l'autre, qui fut offerte aux collections de l'État par Prosper Mérimée avec d'autres objets rapportés d'Espagne, est peut-être espagnole et vraisemblablement récente. »

— Ce texte que tu viens de me lire date de quand ?

— De 1910... Il a été publié dans *Le Journal*.

— Il y a quatre-vingt-neuf ans ! Et l'on continue à parler des ceintures de chasteté comme si elles avaient existé ? C'est stupéfiant !

— On continue aussi à répéter les propos de Michelet concernant le manque d'hygiène des gens du Moyen Âge...

— Que disait-il ?

— Que, « depuis la chute de l'Empire romain, pendant mille ans, on ne s'était pas lavé »... Gros mensonge. Michelet feignait d'ignorer que, dès le XIIe siècle, des étuves existaient dans la plupart des grandes villes de France. À Paris, il y en avait vingt-six... Et des documents que tous les historiens connaissent nous apprennent que, chaque matin, les valets d'étuves (les garçons de bains de l'époque) parcouraient dès le point du jour les rues de la capitale pour annoncer que les bains étaient ouverts. Ces étuves, mixtes, où l'on banquetait gaiement et qui ont inspiré de nombreux auteurs de farces et de fabliaux, ne pouvaient pas être inconnues de Michelet... Mais en bon historien républicain et « jules-ferryste », si j'ose dire, il se devait de décrire un Moyen Âge sale, à demi sauvage et inculte. Michelet aurait pu aussi avoir l'honnêteté de se souvenir que, lorsqu'un chevalier devait être armé, il prenait un bain avant de passer la nuit en prières... Il fallut attendre la Renaissance, les XVIᵉ et XVIIᵉ siècles pour que les gens cessent de se laver. Les huguenots, très prudes, considéraient les étuves comme des lieux de perdition. Ils les firent fermer et, pendant deux siècles, notamment à Versailles, on vécut dans la crasse.

« Au XIXᵉ siècle, cette crasse devint "citoyenne" — pour utiliser un mot à la mode —, car les hommes politiques de cette époque considéraient la baignoire comme un objet "bourgeois".

— Tu as raison. J'ai lu quelque part qu'un certain Camille Pelletan, qui fut, je crois, ministre de la Marine, avait dit un jour à son secrétaire : « Les dossiers que vous m'adressez sont trop épais ! Ils ne doivent pas excéder la valeur du noir d'un ongle ! »... Mais nous voici loin du droit de cuissage.

— Rassure-toi, je ne l'ai pas oublié. J'ai même déniché pour toi, en haut de la bibliothèque, un gros livre extrêmement rare intitulé *Les Droits du seigneur sous la féodalité*. Il date de 1878, époque où Jules Ferry régnait en maître sur l'éducation des jeunes Français et faisait censurer les ouvrages qui ne correspondaient pas à sa vision de notre passé. Autant te dire que *Les Droits du seigneur* contient des anecdotes ahurissantes. Par exemple, l'auteur, un certain Charles Fellens, qui, fort heureusement, ne publia rien d'autre, raconte que les seigneurs du Moyen Âge, qui ne savaient « qu'inventer pour tourmenter et humilier leurs vassaux », obligeaient, dans le Vexin, les jeunes époux à passer la première nuit de leurs noces au sommet d'un arbre et à y consommer leur mariage. Ceux qui s'y refusaient devaient payer une lourde redevance... Il prétend aussi que d'autres seigneurs contraignaient le marié, vêtu de blanc, à se précipiter dans un fossé plein de boue, ou encore à sauter par-dessus un bois de cerf. S'il n'y parvenait pas, il devait se faire coiffer de « rameaux injurieux »... Ces histoires entièrement inventées, dont les instituteurs de Jules Ferry ont fait leurs choux gras pendant des années, leur permettaient de démontrer à leurs élèves qu'il était nécessaire que de tels abus fussent supprimés par notre grande et belle Révolution... Un autre auteur, Jacques-Antoine Dulaure, qui a collaboré à cet ouvrage, ajoute un chapitre dont le titre indique clairement l'orientation : « Histoire de la noblesse depuis le commencement de la monarchie à nos jours, où l'on expose ses préjugés, ses brigandages, ses crimes ; où l'on prouve qu'elle a été le fléau de la liberté, de la Raison, des connaissances humaines(?) et constamment l'ennemie du peuple »...

— Comment peut-on être le « fléau des connaissances humaines » ? dit Maud en gloussant.

— C'était le jargon du temps. Jargon qui refleurit aujourd'hui, d'ailleurs, tu l'auras remarqué... Mais un autre auteur alla plus loin encore. Il s'appelait P.-F. Clerget, avait été membre du tiers état et curé d'Ornans. Il publia en 1875 un ouvrage dans lequel il affirmait le plus sérieusement du monde que, lors des rudes soirées d'hiver, certains seigneurs particulièrement frileux avaient le droit de faire éventrer deux de leurs serfs « pour se réchauffer les pieds dans leurs entrailles fumantes »...

— Quelle horreur !

— Il prétendait que cette coutume s'appelait le « droit de prélassement ».

— Et Jules Ferry laissait passer de telles énormités ?

— Lui ? Il en redemandait !

— Naturellement, le citoyen Clerget ne citait pas ses sources !

— Comme il eût été bien en peine de le faire, il se contentait de dire qu'il avait été membre du tiers état, et cela suffisait aux adversaires de l'Ancien Régime pour être convaincus.

— Maintenant, parle-moi enfin du droit de cuissage...

— Il faut d'abord savoir que ce prétendu droit, que les amis de Jules Ferry ont baptisé « droit du seigneur », n'a jamais existé. D'après certains historiens, il serait né de l'interprétation malicieuse d'une expression de droit coutumier. Il semble en effet que la légende soit née d'un mot volontairement — ou involontairement — déformé... Au Moyen Âge, dans certaines provinces, les mariages étaient interdits en dehors de la seigneurie. Toutefois, cette interdiction pouvait être levée par le seigneur moyennant une certaine somme d'argent. Or cette taxe, appelée « coulage », de *cullagium* (collecte), devint bien vite, grâce à la malice populaire, un droit de... culage.

— Cela ne m'étonne pas, les Français ont toujours été grivois.

— Que veux-tu, c'est inhérent à notre tempérament, et même à notre langue. Un gallicisme, n'est-ce pas, en quelque sorte... une gauloiserie.

— S'il n'existait pas de droit de cuissage, du moins y avait-il un droit de « jambage ». Je l'ai lu dans un livre sur les mœurs étranges du Moyen Âge.

— C'est vrai. Cela consistait, pour le seigneur, à glisser sa jambe dans le lit des jeunes mariés... Ce rite insolite était également observé lors de certains mariages par procuration. Ainsi, lorsque Maximilien d'Autriche, qui devait épouser Anne de Bretagne, en fut empêché à cause de la guerre, il se fit représenter par son ambassadeur qui glissa sa jambe droite, dénudée, dans le lit où était couchée la petite duchesse. Après quoi il rentra chez lui.

— La pauvre dut penser que la réputation des nuits de noces était bien surfaite !

— Ce « droit de jambage » devint bientôt, là encore grâce à la malice populaire, un « droit de cuissage ».

— Ce qui était plus coquin.

— Je te signale que cette expression a les honneurs du Grand Larousse du XIXᵉ siècle. Écoute : *Cuissage. Féodalité ancienne : coutume qui conférait aux seigneurs le droit de glisser une jambe dans le lit des nouveaux mariés, ou de passer, avec la femme d'un vassal ou d'un serf, la première nuit de noces.* Et l'on cite cette phrase de Proudhon : « Tout bourgeois avait droit de cuissage sur sa bonne et même sur chaque fille du peuple. »

— Mais si ce droit scandaleux n'exista jamais chez nous, connaît-on des pays où il fut en vigueur ?

— Oui. Un texte du XVIe siècle signale que le roi d'Écosse permit à ses vassaux, au soir de leurs noces, de payer un *mark* d'argent en contrepartie du droit qu'il avait sur la jeune épouse. Or le mot *mark*, qui signifiait cheval, venait du fait que le seigneur avait le droit de « chevaucher » la mariée...

Maud ricana :

— Je comprends pourquoi les Allemands ont opté pour l'euro...

— L'attitude du roi d'Écosse prouve que le droit de cuissage n'est pas propre au Moyen Âge, comme on voudrait nous le faire croire. À toutes les époques, les hommes possédant quelque pouvoir ou quelque autorité se sont rendus coupables de harcèlement sexuel. Cela devait déjà se passer au temps de l'homme de Cro-Magnon... Comme cela se passe encore aujourd'hui.

« À ce propos, il y a une scène très amusante dans une pièce de Sacha Guitry, je crois, où l'on voit un directeur de théâtre épouvanté à l'idée qu'il doit recevoir une jeune comédienne

— la troisième de l'après-midi —, qui vient solliciter un rôle pour un prochain spectacle. Et le directeur explique à son secrétaire qu'ayant déjà dû faire allonger sur le divan de son bureau les deux précédentes demoiselles venues se présenter, il ne se sentait pas la force de recommencer avec la troisième.

« — Mais vous n'êtes pas obligé de les violer toutes ! lui dit le secrétaire.

« — Mais si ! répond le directeur, effondré. Car elles s'y attendent ! Si je ne les viole pas, elles partiront vexées et raconteront dans tout Paris que je suis pédéraste ou impuissant... Je ne dois pas les décevoir. Cela fait partie des obligations de mon métier... et du leur !

— Guitry avait raison. Tu verras qu'un jour, des comédiennes iront se plaindre aux prud'hommes de ne pas avoir été troussées et violentées comme de véritables artistes, et obtiendront des dommages et intérêts...

Maud feuilletait le livre de Charles Fellens. Soudain, elle sursauta :

— Écoute ce que je lis. C'est incroyable : « À cette époque, tuer les roturiers, violer leurs femmes, c'était pour un prince une espièglerie à laquelle on ne faisait pas attention. » Et ici : « Une femme qui devenait enceinte après l'accomplissement du droit de cuissage devait accepter que son enfant soit sacrifié. Le plus souvent, on le décapitait. Dans certaines régions, le seigneur le donnait à manger aux cochons. »

— Ai-je besoin de te dire que tout cela est inventé ?

— Et cela ne provoquait aucune réaction de la part des historiens sérieux ?

— Bien sûr que si ! Cela ranima même une querelle née vingt ans auparavant, lorsque, au cours du printemps 1854, un certain Dupin, obscur académicien, avait écrit un ouvrage sur le droit de cuissage, « symbole de la barbarie féodale ». Immédiatement, le pamphlétaire Louis Veuillot, directeur de *L'Univers*, avait répondu par une série d'articles admirablement documentés. Les autres répliquèrent en apportant des arguments fondés sur des documents falsifiés. Le combat dura trente ans.

— Trente ans ?

— Oui, pendant trente ans, les historiens français ne parlèrent que de cuisses...

— Et leur conclusion ?

— ... fut que le droit du seigneur n'avait jamais existé.

— Et qu'en dit Jules Ferry ?

— Rien : il était mort.

SOURCES

Alain BOUREAU : *Le Droit de cuissage, la fabrication d'un mythe,* XIIIᵉ-XXᵉ *siècle,* Éd. Albin Michel.

Jacques HEERS : *Le Moyen Âge, une imposture,* Éd. Perrin.

Joseph SANTO : *Histoire falsifiée, vérité rétablie.*

Charles FELLENS : *Les Droits du seigneur sous la féodalité,* 1877, Éd. Lambert et Cie.

Évelyne SORLIN : « La démystification du droit du seigneur au sortir du Moyen Âge », dans *Bulletin de la Société de mythologie française,* n° 158.

Paul-Éric BLANRUE : « Le droit de cuissage, un malentendu qui a la vie dure », dans *Le Crapouillot,* « Les mensonges de l'Histoire », n° 125.

François BRIGNEAU : *Jules l'Imposteur,* Éd. Dominique Martin Morin.

Edward WESTERMARCK : *Histoire du mariage,* tome I, Le *Jus primae noctis,* Mercure de France, 1934.

5

L'AN MILLE N'A FAIT PEUR À PERSONNE [1]

*Où l'on voit que les fameuses « terreurs »
sont une invention des historiens du XIXᵉ siècle*

Maud, allongée selon son habitude sur le canapé de mon bureau, lisait un journal.

— Il paraît que l'humanité devient adulte, me dit-elle lorsqu'elle eut terminé sa lecture.

L'information valait que je m'y intéresse.

— Et pourquoi ? dis-je.

— L'article prétend que nous sommes entrés dans la « cour des grands » — c'est son expression — car l'approche de l'an 2000 n'a déclenché aucune terreur et que les gens n'ont craint ni le feu du ciel ni la fin du monde, comme ce fut le cas avant l'an mille...

---

1. Certains médiévistes, nous dit Edmond Pognon, « écrivent *l'an mil* par une désuète coquetterie orthographique que ne ratifie d'ailleurs pas Littré ».

— Si tu te sens d'humeur épistolière, lui dis-je, tu peux écrire à ce journaliste que l'humanité était déjà adulte en l'an mille car, à l'approche du premier millénaire après la naissance du Christ, elle ne connut aucune angoisse et continua de vivre en toute sérénité.

— Pourtant, les fameuses terreurs de l'an mille...

— Elles n'ont jamais existé.

— Alors, d'où vient cette légende ?

— En grande partie de Michelet, à cause d'une phrase que tous les médiévistes connaissent par cœur et qui aurait suffi à le faire passer à la postérité.

— Quelle phrase a-t-il écrite ?

— Celle-ci : « C'était une croyance universelle au Moyen Âge que le monde devait finir avec l'an mille de l'Incarnation. »

— Et qu'a-t-elle de spécial, cette phrase ?

— Qu'elle ne repose sur aucune vérité historique, ce qui, tu en conviendras, est assez grave pour un historien...

— Mais pourquoi les gens auraient-ils eu peur de l'an mille ?

— À cause de quelques phrases de l'Apocalypse mal interprétées...

— Excuse-moi, mais l'Apocalypse n'étant pas mon livre de chevet, j'ai besoin de tes lumières.

Maud se cala dans les coussins :

— Alors, que dit l'Apocalypse à propos de l'an mille ?

— Rien... Et c'est justement là que réside le malentendu.

— Je comprends de moins en moins...

— Je vais t'expliquer.

Je pris, dans ma bibliothèque, le texte attribué à saint Jean :

— Écoute ce qui est dit au chapitre 20 : « Puis je vis descendre du ciel un ange qui avait la clef de l'abîme et une grande chaîne dans sa main. Il saisit le dragon, le serpent ancien, qui est le diable et Satan, et il le lia pour 1000 ans... Il le jeta dans l'abîme, ferma et scella l'entrée au-dessus de lui, afin qu'il ne séduisît plus les nations jusqu'à ce que les 1000 ans fussent accomplis... Quand les 1000 ans seront accomplis, Satan sera relâché de sa prison. Et il sortira pour séduire les nations qui sont aux quatre coins de la terre... » Tu vois, il n'est question ni de l'an mille, ni de la fin du monde, ni même de cataclysmes... Tout cela est sorti de l'imagination de quelques clercs un peu brouillons... Après quoi, il ne resta plus à Michelet qu'à s'en mêler. Ce qu'il a fait avec un enthousiasme délirant. Se fondant sur de timides interprétations — d'ailleurs erronées —, il a élaboré toute une théorie dont je t'ai donné un aperçu tout à l'heure... D'après lui, tout le monde, à l'époque, était persuadé que l'humanité devait disparaître à l'arrivée de l'an mille. Partant de cette affirmation à laquelle il croit — car Michelet croit tout ce qu'il écrit — il nous donne une description effrayante, épouvantable du décor dans lequel vivaient hommes et femmes à l'approche de la fin du monde. Écoute (je pris un tome de l'Histoire « miche-letienne », comme disait Ernest Lavisse) : « Voyez ces vieilles statues dans les cathédrales des Xe et XIe siècles, maigres, muettes et grima-çantes dans leur roideur contractée, l'air souf-frant comme la vie et laides comme la mort. »

« Et Michelet, qui a trouvé un filon, va l'ex-ploiter avec son lyrisme habituel. Voici com-ment il nous décrit la condition terrifiante des pauvres gens à l'approche de l'an mille : "Le captif attendait dans le noir donjon, dans le sépulcral *in pace* ; le serf attendait dans son sillon, à l'ombre de l'odieuse tour ; le moine attendait dans les abstinences du cloître, dans les tumultes solitaires du cœur, au milieu des tentations et des chutes, des remords et des visions étranges, misérable jouet du diable qui folâtrait cruellement autour de lui et qui, le soir, tirant sa couverture, lui disait gaiement à l'oreille : Tu es damné !"

— Quelle imagination ! Et quelle recherche dans le choix des adjectifs destinés à nous rendre cette époque cauchemardesque ! Tu as remarqué : le donjon est *noir*, la tour est *odieuse*, les statues sont *grimaçantes*, elles ont, en outre, un air *souffrant* et sont *laides* comme la mort...

— Cette terreur, nous dit Michelet, poussait les gens vers la religion. Écoute : « Dans cet effroi général, la plupart ne trouvaient un peu de repos qu'à l'ombre des églises. Ils venaient en foule et mettaient sur l'autel des donations de terres, de maisons, de serfs. Tous ces actes portent l'empreinte de la même croyance : Le soir du monde approche, disaient-ils ! » La haine de Michelet pour l'Ancien Régime est telle qu'après nous avoir parlé de leur terreur, il nous décrit la joie des braves gens au moment du cataclysme final : « Tous, écrit-il avec une sorte de jubilation, souhaitaient sortir de peine, et à n'importe quel prix. »

Et il ajoute :

« Il devait d'ailleurs avoir aussi son charme, ce moment où l'aiguë et déchirante trompette de l'archange percerait l'oreille des tyrans.

Alors, du donjon, du cloître, du sillon, un rire terrible eût éclaté au milieu des pleurs. »

— Je retiens en passant le « charme de la trompette du Jugement dernier ». Il avait des trouvailles, ton Michelet.

— C'était un romantique... Trempant sa plume dans une encre de plus en plus noire, il écrit encore : « Cet effroyable espoir du Jugement dernier s'accrut dans les calamités qui précédèrent l'an mille ou le suivirent de près. Il semblait que l'ordre des saisons fût interverti, que les éléments suivissent des lois nouvelles. »

— De quelles calamités parle-t-il ?

— De celles qu'il invente. Edmond Pognon, qui a écrit plusieurs savants ouvrages sur l'an mille, nous dit : « Il suffit de lire attentivement Michelet et de vérifier ses références pour constater que son imagination l'emporte et égare cet historien, quand même génial, jusqu'à solliciter les textes. »

— Mais il n'y eut aucun tremblement de terre, aucun raz de marée, aucune éruption volcanique à cette époque ?

— Non. Il y eut, comme en tout temps ces années-là, des orages, de la grêle, quelques bourrasques, des chutes de neige, de la gelée blanche le matin, de la pluie et des arcs-enciel, ce qui ne peut être tenu pour des signes annonciateurs d'événements apocalyptiques... D'ailleurs, il suffit de se pencher sur les chroniques du temps pour s'apercevoir que les gens, loin d'être terrorisés, vivaient paisiblement, s'adonnant à leurs occupations habituelles, se fiançant, se mariant, construisant des maisons, des églises, des ponts, des routes, plantant des arbres, toutes choses qu'ils n'auraient pas entreprises s'ils avaient craint de voir le monde disparaître.

— Tu as raison, d'autant que la construction d'une église, à cette époque, demandait parfois dix ans et plus.

— Certains mirent même en chantier de grands travaux ; en 990, Hugues Capet décide de faire édifier les remparts de Caen ; en 998, on commença à reconstruire les cathédrales d'Orléans et de Senlis... En outre, quelques architectes, sans se soucier de la prétendue catastrophe finale dont personne ne parlait, entamèrent, dans les dernières années du Xe siècle, cette rénovation de l'art qui consistait à substituer la voûte en pierre aux charpentes de bois, inaugurant ainsi l'art roman.

— Rénovation qui, si mes souvenirs sont bons, demanda parfois vingt à trente ans de travaux...

— Dans certains cas, tu peux même dire cinquante ans. Alors, encore une fois, des gens se croyant à la veille de la fin du monde se seraient-ils lancés dans de telles entreprises ?

— Non, bien sûr. Mais je reviens aux sources de Michelet. Il n'existe aucune chronique, aucun texte faisant allusion à une fin du monde prévue pour l'an mille ?

— Soyons honnêtes, si. Il en existe deux : un texte de l'abbé Abbon, du monastère de Fleury-sur-Loire (aujourd'hui Saint-Benoît), qui raconte que, lorsqu'il était jeune, vers les années 960, il a entendu dire que la fin des temps surviendrait en l'an mille, mais qu'il a trouvé cela tout à fait ridicule et qu'il n'y a pas cru un seul instant... Le second texte est plus précis : il décrit les signes annonciateurs de la fin du monde : tremblement de terre, apparition d'une comète, etc., phénomènes qui glacent d'effroi, bien entendu, les braves gens qui en sont témoins.

— Voilà donc enfin un document !

— Oui, mais il n'a qu'un défaut : il fut écrit en 1689, c'est-à-dire sous le règne de Louis XIV. Ce qui n'a pas empêché Michelet d'y puiser largement, en l'enjolivant comme tu le sais...

— Ce sont les seuls textes qui existent ?

— Oui... Autant dire : rien !

— Mais si les chroniqueurs sont muets sur ce sujet, l'Église elle-même, le pape, les évêques n'annoncèrent-ils pas cette catastrophe ? Dans le but, insinuent certains historiens, d'inciter les fidèles à faire des dons au clergé ?

— Là encore, Michelet et ses disciples nous ont trompés. Dans son ouvrage *Études sur le règne de Robert le Pieux*, Christian Pfister, qui était professeur à la Sorbonne et l'un des meilleurs médiévistes de son temps, écrit ceci : « Nous possédons environ cent cinquante bulles pontificales expédiées dans cet intervalle (de 970 à l'an mille) et nous affirmons que, dans *aucune*, on ne trouve la moindre allusion à une fin prochaine du monde. Nous avons aussi des bulles qui ont suivi l'an mille et, dans *aucune*, il n'y a un cri de reconnaissance à Dieu pour avoir détourné le terrible malheur. Des synodes nombreux se sont réunis pendant la même période, de 970 à 1000, et dans leurs actes, il n'est jamais question de l'anéantissement de la terre. » Il n'est pas non plus fait mention, et pour cause, d'« offrandes salvatrices » qu'un clergé avide aurait incité le peuple affolé à faire, avant de mourir dans le brasier final...

— Ce monsieur Pfister n'était-il pas un peu complaisant à l'égard de l'Église ?

— Je m'attendais à cette question. Eh bien, non, pour la simple raison que le professeur Pfister était protestant.

— Alors, qui est à l'origine de tous ces racontars ?

— Tu le demandes ? Mais Michelet, toujours lui !

— Mais pourquoi ?

— Parce qu'il était animé par un fanatisme digne d'un moine de l'Inquisition... Cet écrivain à l'air doucereux nous a laissé des pages qui doivent plus à sa haine passionnelle pour l'Ancien Régime et pour l'Église qu'aux documents qu'il avait pourtant à sa disposition comme chef de service aux Archives nationales... Dès qu'il aborde ces sujets, il perd toute rigueur et se lance dans des récits souvent hauts en couleur, mais qui ont autant de rapports avec l'Histoire que les aventures d'Astérix en ont avec les *Commentaires* de César.

— Tu n'exagères pas un peu ?

— D'autres, qui étudièrent attentivement son œuvre, furent, à son égard, beaucoup plus sévères encore que moi.

— Qui ça ?

— Sainte-Beuve, par exemple.

— Et que disait-il, Sainte-Beuve ?

— Ces simples mots : C'est un charlatan !

— Pauvre Jules !

Maud était songeuse :

— Il y a une chose qui m'intrigue, me dit-elle soudain. J'ai lu quelque part qu'au Moyen Âge, les gens n'avaient pas de calendrier et ne savaient pas se situer dans le temps... Jeanne d'Arc, par exemple — et ce n'est pas un cas unique — ne connaissait pas son âge. Lors de son procès, elle déclara qu'elle avait « à peu près 19 ans ». Dans ces conditions, comment Michelet explique-t-il que les paysans ont su qu'ils approchaient de l'an mille ?

— Tu poses la bonne question, celle qui n'est pas venue à l'esprit de Michelet... En effet, à cette époque, si la plupart des clercs avaient quelques notions des dates, le petit peuple, lui, vivait sans aucun repère chronologique. C'est d'ailleurs l'avis d'un grand historien et éminent médiéviste, Marc Bloch, qui, hostile aux divagations de Michelet, écrit dans son ouvrage *La Société féodale* : « En vérité, pour la plupart des Occidentaux, cette expression "An Mille" qu'on voudrait nous faire croire chargée d'angoisses, était incapable d'évoquer aucune étape dans la fuite des jours »... Voilà qui suffit à détruire la légende des fameuses terreurs.

— Encore une fois, dit Maud, Michelet nous a raconté des balivernes.

— Balivernes qui justifient les propos de Kléber Haedens selon lesquels notre grand historien était affligé « d'une absence totale de jugement critique ».

— J'espère qu'il en a montré un peu plus à la fin de sa vie, car j'ai lu dans un magazine féminin qu'à ce moment, il s'est surtout intéressé aux dames.

— Je le souhaite aussi car le pauvre aurait risqué d'épouser la femme à barbe...

SOURCES

Edmond POGNON : *La Vie quotidienne en l'an mille*, Éd. Hachette.

Œuvres de LIUTPRAND, Raoul GLABER, Adémar de CHABANNES, ADALBÉRON, HELGAUD présentées par Edmond POGNON : *L'An Mille*, Gallimard.

Robert DELORT : *La France de l'An Mil*, Éd. du Seuil.

Georges DUBY : *L'An Mil*, Éd. Julliard.

Dominique BARTHÉLÉMY : *La Mutation de l'an mil a-t-elle eu lieu ?* Éd. Fayard.

Joseph SANTO : « Les terreurs de l'an mille », dans *Histoire falsifiée, vérité rétablie.*

Paul-Éric BLANRUE : « Les terreurs de l'an mil », dans *Le Crapouillot*, n° 125, « Les mensonges de l'Histoire ».

Jacques HEERS : « Peurs de l'an mille », dans *Le Moyen Âge, une imposture*, Éd. Perrin.

6

GUILLAUME TELL A-T-IL EXISTÉ ?

*Où l'on voit que Guillaume Tell
n'est pas suisse mais scandinave*

Maud fait collection de timbres. Ce soir, elle est rentrée radieuse d'une brocante installée près des Batignolles.

— Regarde ce que j'ai trouvé ! Et pour une bouchée de pain...

Elle me montrait un timbre-poste dans une minuscule enveloppe transparente.

— Il n'est pas très grand, il n'est pas très beau, mais il est très rare ! C'est un timbre suisse dont la première édition date de 1907. Regarde...

Je tirai avec précaution de son enveloppe un petit rectangle vert olive où l'on voyait un enfant brandir une espèce d'arbalète.

— Tu le reconnais ?

— Non, qui est ce bambin ?

— C'est le fils de Guillaume Tell !

— Comment veux-tu que je le reconnaisse, il n'a pas de pomme sur la tête...

— Parce qu'il la tient dans sa main !

Maud demeura un instant pensive :

— Au fond, je m'aperçois que je ne connais pas bien l'histoire de Guillaume Tell... Je sais seulement qu'il s'amusait à envoyer des flèches dans une pomme placée sur la tête de son fils, ce qui, d'ailleurs, est un jeu stupide et dangereux... Pourquoi faisait-il cela ? C'était un numéro de cirque ?

— Je vois, en effet, que tu ne connais pas bien l'histoire de Guillaume Tell.

— Alors, raconte-la-moi !

Elle s'allongea sur le canapé de mon bureau, fit voler d'un pied agile ses chaussures au milieu de la pièce et m'écouta.

— Au XIVe siècle, alors que la Suisse dépendait du Saint Empire romain germanique, il y avait dans un bourg du canton d'Uri un représentant de l'empereur, le bailli Herman Gessler, qui terrorisait la population. Un jour, il exigea que tous les habitants saluent son chapeau hissé sur la place publique d'Altdorf et fit annoncer par voie d'affiches que les contrevenants seraient sévèrement punis. Tout le monde obéit sans murmurer, sauf un homme, un brave montagnard qui, un matin, passa fiè-

rement devant le chapeau du bailli, son arbalète sur l'épaule, en compagnie de son fils âgé
de dix ans, sans se découvrir. Arrêté aussitôt,
il fut conduit devant Gessler.

« — Je pourrais te faire jeter en prison, lui
dit-il, mais j'ai une idée beaucoup plus amusante. Tu as la réputation d'être le plus habile
arbalétrier du canton. Je vais te donner l'occasion de nous le prouver. Demande à ton fils
de se placer au pied de cet arbre... Maintenant,
compte cent pas et attends mes ordres.

« Guillaume Tell obéit.

« — Allez me chercher une pomme, dit
encore Gessler à un garde. La plus petite que
vous pourrez trouver, et posez-la sur la tête de
cet enfant.

« Guillaume Tell comprit alors ce que le
bailli voulait de lui.

« — Je refuse de faire ce que tu m'ordonnes,
cria-t-il. Demande-moi tout, sauf cela !

« — Non ! hurla Gessler, c'est cela que je
veux. Tu vas transpercer cette pomme avec
une flèche !

— Quelle brute ! s'écria Maud, qui suivait
mon récit avec passion. Pauvre petit Tell !

— Quand tout fut prêt, un public de
curieux s'amassa pour assister à l'épreuve.

« — À toi ! cria Gessler.

« On vit alors Guillaume Tell prendre deux flèches dans son carquois, en placer une sur son arbalète et cacher l'autre sous ses vêtements.

« — Prêt ?

« — Prêt !

« Guillaume Tell assura son aplomb, jambes écartées, visa longuement et libéra la flèche, qui partit en sifflant vers la pomme, qu'elle traversa sans la faire tomber.

« Les spectateurs, qui avaient suivi la scène dans un silence de mort, applaudirent à tout rompre tandis que Guillaume Tell courait vers son fils et le serrait dans ses bras.

« Gessler l'appela :

« — Dis-moi, pourquoi as-tu placé une deuxième flèche sous tes vêtements ?

« — Cette flèche était pour toi, au cas où j'aurais touché mon fils !

« Le bailli entra alors dans une grande colère et ordonna que Guillaume Tell soit enchaîné et jeté dans une barque avec son fils. Barque qu'il voulut conduire lui-même à travers le lac de Lucerne jusqu'à la forteresse de Kussnach, où il comptait faire enfermer ses deux prisonniers dans un cul-de-basse-fosse...

— Quoi, ricana Maud, les deux : Tell père, Tell fils ?

— Oh, je t'en prie ! Mais le ciel vint au secours des deux malheureux. Un orage éclata soudain, qui secoua si fort le bateau que le bailli ordonna de délier Guillaume Tell, dont la force et l'adresse étaient célèbres, afin qu'il prenne le gouvernail.

« — Si tu nous mènes à bon port, dit Gessler, tu seras libre ainsi que ton fils.

« Tell prit la barre, navigua pendant une heure dans la tempête et réussit à aborder au pied de la forteresse. Là, prenant brusquement son fils dans ses bras, il sauta à terre et repoussa la barque d'un coup de pied...

« — Tu es fou ! cria Gessler.

« Pour toute réponse, Guillaume Tell pointa son arbalète sur le bailli et lui envoya une flèche en plein cœur !

— Bravo ! dit Maud, enthousiasmée.

— Et aujourd'hui encore, le lieu est nommé le « saut de Tell »... La mort de Gessler déclencha un soulèvement général qui aboutit à la libération des cantons suisses asservis depuis longtemps par l'Autriche. Finalement, une ligue se forma, qui fut à l'origine de la Confédération helvétique... Voilà pourquoi Guillaume Tell est le héros national de la Suisse.

— Cela m'étonnait qu'on lui ait élevé une statue uniquement parce qu'il avait envoyé une flèche dans une pomme...

Maud vint m'embrasser :

— Ce qui est merveilleux avec toi, c'est qu'on s'instruit.

Je lui pris la main :

— Si je te dis maintenant quelque chose d'étonnant, tu ne vas pas me gifler ?

— Pourquoi ?

— Parce que tout ce que je viens de te raconter est faux !

— Ça ne s'est pas passé comme cela ?

— Pire : Ça ne s'est pas passé du tout ! L'histoire de Guillaume Tell est entièrement fausse. Ce personnage dont la Suisse a fait son héros national n'a jamais existé...

— Mais pourtant il y a des rues Guillaume-Tell dans presque toutes les grandes villes d'Europe ; il y a des statues, des timbres-poste, des cantates, des églises où il figure sur des vitraux...

— Oui, mais tout cela est à la gloire d'un personnage entièrement imaginaire.

— Mais comment sait-on qu'il n'a pas existé ?

— Pendant plusieurs siècles, personne ne songea à mettre en doute l'existence de Guillaume Tell. C'était un héros national vénéré par tous les cantons suisses. Et puis comment ne pas croire à la réalité d'un personnage dont Schiller avait conté l'histoire ? Mais un jour, des historiens méfiants, et même suspicieux...

— Oh ! dit Maud, j'adore ce mot !

—... se sont penchés sur l'aventure de ce perceur de pomme et sont arrivés avec une grande tristesse — car il s'agissait de bons Helvètes amoureux de leur histoire — à cette conclusion navrante qu'aucun des faits relatés dans l'« épopée tellienne » — c'est le nom qu'on lui donnait — n'avait la moindre consistance historique... Bref, en termes simples : que tout était faux !

— Mais alors, ce Guillaume Tell, d'où vient-il ?

— Du Danemark !

— Quoi ? La légende n'a même pas pris naissance en Suisse ? Allez, raconte-moi d'où elle vient, mais cette fois, dis-moi la vérité.

— Je te le jure (je mis ma main sur sa tête) sur ta pomme !

— Arrête de plaisanter et parle-moi sérieusement. Je t'écoute...

— Cela remonte très loin. Tous les renseignements que nous possédons ont été puisés dans une chronique écrite au XIIe siècle, intitulée *Gesta Danorum*, c'est-à-dire *La Geste des Danois*, par un moine nommé Saxo Grammaticus.

Maud sursauta :

— Je ne te crois pas ! Personne ne s'appelle Saxo Grammaticus !

— Lui, si. Maintenant, calme-toi et écoute ce qu'il raconte : « Il y avait sous le règne du roi Svend à la barbe fourchue... »

Je regardai Maud. Elle baissa sagement les yeux.

— ... qui régna de 985 à 1014, — c'est-à-dire trois siècles avant le fameux Guillaume Tell — un archer nommé Toke qui, un soir, au cours d'un festin bien arrosé, se vanta de pouvoir traverser d'une flèche une pomme, si petite fût-elle, posée sur un piquet éloigné de cent pas... En apprenant cette histoire, le roi, agacé, ordonna que l'on mît l'archer à l'épreuve, mais en remplaçant le piquet par le fils de Toke. « S'il rate son coup, il n'aura plus d'héritier, dit-il en riant. En outre, nous le ferons pendre. » L'archer accepta, plaça son fils de dos pour que l'enfant ne soit pas impressionné en le voyant pointer son arc sur lui, puis il sortit trois flèches de son carquois. Au signal du roi, il en plaça une sur la corde, tira et atteignit la pomme, qui fut transpercée.

La foule applaudit. « Pourquoi avais-tu préparé trois flèches ? » demanda le roi Svend. « Les deux autres étaient pour toi si j'avais raté mon coup ! » Cette histoire, rapportée par Saxo Grammaticus, date du XIIᵉ siècle. Or il en existe une autre version plus ancienne encore. Un spécialiste du folklore scandinave, Léon Pineau, l'a découverte dans une chanson des îles Féroé, datant des premiers siècles de l'histoire de la Norvège.

— Encore un pauvre gosse à qui l'on met une pomme sur la tête ! Ça devient lassant, toutes ces pommes...

— Rassure-toi, cette fois, l'affaire se corse : avec sa flèche, l'archer doit traverser une noix sans éborgner son petit frère...

— Une noix ? gloussa Maud. Pourquoi pas une cerise ou une groseille ?

— Sans doute l'auteur n'y a-t-il pas pensé... Tu aurais dû vivre au VIIIᵉ siècle et écrire des chansons folkloriques scandinaves.

— Mais comment cette histoire, née de l'imagination d'un Scandinave au VIIIᵉ siècle, s'est-elle transplantée en Suisse et acclimatée au point de devenir un mythe national ?

— D'après les historiens spécialisés dans le folklore européen, des populations vikings de l'île de Gotland, chassées par la famine, fuirent

vers le sud, passèrent par l'Allemagne, gagnè-
rent un pays qui devait devenir la Suisse et s'y
installèrent. L'histoire de l'archer du roi Svend
se mêla alors aux légendes locales, et Toke,
sous le nom de Guillaume Tell, devint un
héros helvétique...

Maud réfléchissait. Elle releva la tête :

— Mais alors, aujourd'hui que Toke a
repris sa place dans le folklore scandinave, les
Suisses ont perdu leur grand homme !

— Tu as raison. Ils l'ont même exclu, dès
1901, de leurs manuels d'Histoire.

— C'est très triste, la mort d'un héros
national... Par qui vont-ils le remplacer ?

Elle sourit et me regarda en biais :

— C'est vrai, dit-elle, qu'il leur reste Ouin-
Ouin...

SOURCES

Saxo Grammaticus : *L'Archer du Roi (Gesta Danorum)*, XIIᵉ siècle.

Léon Pineau : *Les vieux chants populaires scandinaves*, tome II, 1901.

Yerta Méléra : « Guillaume Tell a-t-il existé ? » *Miroir de l'Histoire*, nᵒ 32.

Anonyme : « Guillaume Tell n'est pas suisse », *Miroir de l'Histoire*, nᵒ 182.

7

LE MYSTÈRE DE CLÉMENCE ISAURE

*Où l'on voit qu'une femme qui n'a pas existé
trouble depuis six cents ans le cercle des poètes disparus*

Maud était allée voir sa tante à Toulouse.

À son retour, elle me parla avec chaleur d'une « femme extraordinaire » sur laquelle elle voulait « tout savoir »...

— Elle a sa rue à Toulouse, une statue, et son nom est sur toutes les lèvres. Ma tante a une véritable vénération pour elle !

— Qu'a-t-elle fait ?

— Elle a créé au XIVe siècle l'Académie des Jeux floraux... Pourquoi souris-tu ?

— Pour rien. Et elle s'appelait Clémence Isaure.

— Tu la connais ? Bien sûr, toi, tu connais tout le monde... Alors, parle-moi d'elle !

— Dis-moi d'abord ce que tu sais.

— Eh bien, ma tante qui a une très riche bibliothèque sur sa région, possède *L'Histoire du Languedoc*, ouvrage écrit au XVIIIe siècle par un certain dom Vaissette.

— Et que dit ce vénérable bénédictin ?

— Il explique... attends, j'ai pris des notes, que « Clémence Isaure était une très riche et très généreuse dame, qui aimait la poésie et les belles lettres au point d'avoir créé un prix que l'on décernait tous les ans au mois de mai aux poètes ayant fait les plus beaux vers. Cette institution fut appelée le Collège de la Gaye Science, ou l'Académie des Jeux floraux, parce que les lauréats recevaient, dans l'ordre, une violette d'or (la violette était considérée, à Toulouse, comme la fleur souveraine), une églantine d'or, et enfin un souci d'or (souci que l'on appelait d'ailleurs à cette époque une "joie".) Comme quoi, avec le temps, tout se complique...

« J'ai lu, par ailleurs, que cette dame est morte célibataire à l'âge de cinquante ans, en laissant toute sa fortune à la ville, et que sa statue se trouve aujourd'hui dans une des salles de l'Hôtel de Ville de Toulouse... D'autre part, le roi Louis-Philippe, grand admirateur de cette noble mécène, lui a également fait élever une statue à Paris. Elle se trouve dans le jardin du Luxembourg, à côté de celle de Jeanne d'Albret. Voilà. Ai-je fait une erreur ?

— Toi, non. Tu m'as rapporté fidèlement tout ce que tu as lu. Mais ce sont les livres que tu as consultés qui sont remplis de... fariboles ! Car, je vais peut-être te décevoir, mais Clémence Isaure n'a jamais existé.

Maud explosa :

— Ah non ! Pourquoi prends-tu un malin plaisir à détruire tous les personnages que j'admire ?

— Tu n'étais pas née quand je suivais les cours de poétique de Paul Valéry au Collège de France. Et c'est bien dommage car tu aurais été émerveillée par le talent de conteur de cet homme extraordinaire, aimable, souriant, plein d'humour, et tu aurais entendu ce qu'il disait de Clémence Isaure : « J'ai lu sur elle tant de bien que c'est la seule femme dont je regrette qu'elle ait disparu avant d'être née... »

« Et, comme quelqu'un lui demandait s'il était sûr qu'elle n'ait jamais existé, il répondit :

« — L'expérience m'a enseigné qu'une femme de lettres très belle, intelligente et ne disant jamais de mal de ses consœurs ne peut être qu'un personnage imaginaire.

— Mais enfin, pourquoi aurait-on inventé ce personnage ?

— Il y a plusieurs explications. La plus courante met en cause les capitouls, ces magistrats

qui administraient Toulouse. Certains historiens prétendent que ces messieurs, pour dissimuler aux inquisitions du Trésor royal les
fortunes considérables (aux origines souvent
douteuses) qui leur permettaient de financer
l'Académie de la Gaye Science et de distribuer
des prix fastueux aux lauréats des Jeux floraux, auraient inventé cette richissime mécène
afin de n'avoir rien à payer au fisc de l'époque.
Les legs, en effet, étaient exempts d'impôts.

— Ce serait donc pour une vulgaire question d'argent que l'on aurait bâti toute cette
belle histoire et inventé « ma » Clémence
Isaure ?

— Peut-être... Je dis peut-être car il y a une
autre explication qui est donnée par des historiens moins terre à terre. Voici, par exemple,
ce qu'écrit un spécialiste des sciences ésotéri-
ques, Gérard de Sède, dans le *Guide de la
France mystérieuse*. Écoute :

« En 1323, sept notables réunis sous l'orme
de Saint-Martial, à Toulouse, dans le quartier
des Augustins, créèrent la *Companhia dels
mentenedors del Gay Saba* (Compagnie des
mainteneurs du Gay Savoir) et instituèrent un
concours annuel de poésie ouvert à tous les
gens de langue d'oc, et dont le prix, décerné
le 1er mai, était une violette d'or fin. Les mem-

bres de la *Companhia* étaient tenus au secret. Le Gay Savoir semble, en effet, avoir été une doctrine ésotérique que la poésie des troubadours répandait sous forme de symboles cachés aux profanes. Les spécialistes actuels estiment que cette doctrine était celle des cathares, contraints depuis la croisade à une entière clandestinité. Au XVe siècle, la *Companhia*, devenue *Académie des Jeux floraux*, bénéficia de la protection d'une dame toulousaine, Clémence Isaure, experte en Gay Savoir, qui légua à cette Académie des sommes si considérables que la ville de Toulouse jouissait encore de ces revenus au siècle dernier. Clémence Isaure mourut célibataire vers 1500, à l'âge de cinquante ans. Elle aurait été enterrée en 1557 sous l'autel de Marie, dans l'église de la Daurade (la Vierge dorée).

« Plusieurs érudits ont soutenu que Clémence Isaure n'a jamais existé et qu'elle n'est qu'un personnage symbolique figurant, comme la *Dame* des troubadours, un principe cosmologique féminin. Ils ont notamment souligné que, dès le XIVe siècle, c'est la Vierge que l'on appelle "Dame Clémence", et qu'*Isaure* veut dire *Isis aurea* : "Isis dorée". Ainsi, le lieu supposé de la sépulture de Clémence Isaure est lui-même purement emblématique. Pour d'autres, le mythe se rattache à l'Isaurie, contrée d'Asie Mineure, et aurait été rapporté de Constantinople par les croisés.

« Si cette thèse est exacte, le cas de Clémence Isaure ne relève pas seulement du mythe, mais du mystère et d'une inexplicable mystification... Quelques années à peine après sa mort, on était déjà incapable de montrer le texte de son testament. Tout cela est troublant. Aujourd'hui, l'Académie des Jeux floraux n'est plus qu'un vestige folklorique. Mais il est possible qu'autrefois une richissime société secrète ait inventé Clémence Isaure pour dissimuler son action. »

— Tout cela est fort troublant, dit Maud. Il ressort en tout cas de ces différents textes que la seule chose dont nous soyons sûrs est que cette Clémence Isaure, admirée par Louis XIV et par Louis-Philippe, n'a jamais existé... Mais tu ne m'as pas parlé des poètes honorés par l'Académie des Jeux floraux, victimes innocentes et glorieuses d'une superbe supercherie. Y eut-il des hommes célèbres ?

— Mais oui : Ronsard, Voltaire, Rousseau, Hugo, Vigny, Lamartine, Chateaubriand... sans compter un curieux personnage qui fut à la fois révolutionnaire, comédien, auteur dramatique, poète et chansonnier. En outre, il donna leurs noms aux mois républicains. Il s'appelait Philippe François Nazaire Fabre.

— Ce nom ne me dit rien du tout !

— Attends un peu... Notre poète concourut pour les Jeux floraux et reçut un lys d'argent. Ce qui lui sembla dérisoire et bien maigre pour son immense talent. Alors il tricha et proclama partout qu'on lui avait décerné l'églantine d'or... Et pour en persuader tout le monde, il ajouta à son nom celui de la fleur qu'il disait avoir gagnée. Il devint alors Fabre d'Églantine.

— L'auteur de *Il pleut, bergère* ?

— Voilà.

— Et c'était un tricheur ?

— Pire : un escroc, un faussaire, un bandit de la pire espèce, ce qui le conduisit à être député à la Convention.

— C'est heureux qu'il ait remplacé le lys par l'églantine, car Fabre du Lys eût été un nom curieux pour un conventionnel.

— Finalement, car tu sais que les révolutionnaires ont la manie de se guillotiner entre eux, il fut conduit à l'échafaud en 1794. Dans la charrette il hurlait : « On m'a volé un poème ! » Alors Danton, toujours délicat, lui répliqua : « Des vers... Avant huit jours, tu en feras plus que tu n'en voudras ! »

— Quelle horreur !

— Comme tous les individus un peu louches, Fabre s'était inventé un langage secret. C'est ainsi qu'avant les loubards de notre époque, il avait imaginé le verlan. On a retrouvé une lettre de lui à sa maîtresse, ainsi rédigée : « Am tetipe mafe, medain, medain... » Ce qui signifiait (tous les jeunes des quartiers dits sensibles n'auraient aujourd'hui aucun mal à le déchiffrer) : *Ma petite femme, demain, demain.*

— Nous voilà loin de Clémence Isaure...

— Moins loin que tu ne le crois. Car certains assurent que la secte des Apets du Contremi (c'est-à-dire les Amis du Contrepet) dérive de l'Académie des Jeux floraux.

— Tu vas encore me citer des contrepèteries auxquelles je ne vais rien comprendre...

— Mais non ! Si je te dis : « Le dimanche, je vais lécher à la pigne »...

— Qu'est-ce que cela veut dire ?

— Cherche un peu...

— Je ne vois pas !

— « Le dimanche, je vais pêcher à la ligne. »

— C'est idiot !

— C'est une contrepèterie... Et il en existe dans les œuvres primées par l'Académie des Jeux floraux. En voici une, par exemple, intitulée « La Violence de Clémette ». C'est-à-dire...

— Je ne vois pas !

— C'est pourtant simple : « La Violette de Clémence. » Voici le poème :

> _Clémence ayant choisi la ville de Toulouse_
> _Pour honorer la rime et la langue des dieux,_
> _Cueillit, parmi les fleurs colorant la pelouse,_
> _La plus humble et la plus timide sous les cieux :_
> _La violette._
> _Mais voilà qu'en l'Olympe, le petit Momus,_
> _S'amusant à changer des mots les consonances,_
> _Transforma notre amie en Clémette... ô lapsus !_
> _Et la douce violette en terrible « violence »..._
> _Adieu la poésie ! Adieu les turlurettes !_

— Curieuse femme, décidément, que cette Clémence Isaure, dit Maud. Elle devient patronne des contrepèteristes et des troubadours. Elle a une rue et une statue à Toulouse, une autre statue à Paris. Elle reçoit l'hommage des plus grands poètes de notre langue, elle est admirée par deux rois de France, elle a inspiré des poèmes, et pourtant, elle n'a jamais existé...

— C'est le cas de nombreux hommes politiques, dis-je. Ils ont des statues, des rues, des stations de métro, des écoles ; on a vu leur visage sur des portraits officiels, sur des affiches, sur des timbres-poste, et pourtant, ils furent inexistants.

Maud se mit à trépigner :

— Des noms ! Des noms !

— Je n'ai que l'embarras du choix : Casimir Perier, Charles Floquet, Camille Chautemps, Sadi Carnot, Gaston Doumergue, etc. Dans le domaine littéraire, ils sont également très nombreux à avoir laissé un nom et aucune œuvre, comme s'ils n'avaient pas existé ! Cela me rappelle d'ailleurs une anecdote amusante. Un soir, au cours d'un dîner d'écrivains auquel participait Tristan Bernard, quelqu'un parla longuement de la légende de Clémence Isaure. Le lendemain, l'« ineffable à barbe », comme disait Jules Renard, rencontra son interlocuteur de la veille :

« — Après notre conversation d'hier soir, lui dit-il, j'ai fait, grâce à vous, cher ami, un rêve délicieux.

« — Ah oui ?

« — Oui, j'ai rêvé que, comme Clémence Isaure, Henry Bernstein n'avait jamais existé. Que c'était un mythe. Et puis, je me suis réveillé... Mais ne lui racontez pas cette histoire. Il dirait encore que je suis antisémite !

— De toute évidence, Tristan Bernard n'aimait pas beaucoup Henry Bernstein, conclut Maud.

— Je crois que tu as raison car, un jour, il raconta ceci : « Bernstein est un auteur qui a le génie de la publicité. Je vois très bien comment se dérouleront ses obsèques : À l'arrière du corbillard, il y aura une énorme couronne de fleurs avec ces mots en grandes lettres dorées :

> *À Henry Bernstein,*
> *Auteur du* Rêve
> *Qui se joue actuellement au Gymnase.*
> *Location de 11 heures à midi,*
> *Places à partir de 60 francs...* »

Maud se tordait. Elle parvint enfin à articuler :

— Je reviens une seconde à Clémence Isaure. Existe-t-il des livres sur elle ?

— Bien sûr ! Il y eut même des auteurs particulièrement imaginatifs pour écrire sa biographie.

— C'est un comble !

— L'un d'eux, qui signe Antoine Artello, publia entre autres un ouvrage inénarrable intitulé *Les Amours de Clémence Isaure*, que je te recommande...

— Les amours d'une femme qui n'a pas existé, ce doit être savoureux ! Et qui étaient ses amants supposés ? Le Père Lustucru ? Riquet à la houppe ? Le marquis de Carabas ?

— Oh ! mais non ! Ce M. Antoine Artello imagine des liaisons beaucoup plus brillantes : avec un roi de Navarre, avec des capitouls, avec des troubadours, et même avec Dante !

— C'est incroyable ! Ce livre devrait s'intituler *La Débile Comédie*...

— Le mot est joli. Si tu permets, je vais le garder pour l'ensemble de l'affaire Clémence Isaure.

SOURCES

Louis Doucet : *Histoires d'Amour des provinces de France* (Le Languedoc), Éd. Presses de la Cité, 1977.

Pierre Wolff : « Clémence Isaure a-t-elle existé ? » *Historia*, n° 150.

Pierre Wolff : *Histoire du Languedoc*, Éd. Privat, 1967.

Dom Vaissette : *Histoire du Languedoc*.

René Alleau : *Guide de la France mystérieuse*, Éd. Tchou, 1964.

Louis Jacob : *Fabre d'Églantine, chef des « Fripons »*, Éd. Hachette, 1946.

8

LA PLUPART DES MOTS HISTORIQUES N'ONT PAS ÉTÉ PRONONCÉS

Où l'on voit que même Cambronne n'a jamais dit le sien

Maud, allongée sur le divan de mon bureau, était plongée dans la lecture d'un ouvrage sur l'Égypte. Elle leva la tête brusquement. Ses yeux brillaient :

— Quel génie, tout de même...

— Qui ça ?

— Bonaparte ! Trouver spontanément une phrase aussi belle que : « Soldats, du haut de ces pyramides, quarante siècles vous contemplent. » Avoue que c'est admirable !

— C'est vrai. Hélas, ce mot n'a qu'un défaut...

— Naturellement, il faut toujours que tu critiques tout ! Alors, quel défaut a-t-il ?

— Tout simplement de n'avoir pas été prononcé.

— Quoi ? Mais c'est dans tous les livres d'Histoire !

— Les livres d'Histoire contiennent bien des erreurs, tu sais...

— Comment peux-tu être aussi formel au sujet de Bonaparte ?

— C'est bien simple... De nombreux historiens ont cherché dans les *Mémoires* de soldats et d'officiers ayant participé à la bataille des Pyramides ; personne, même parmi ceux qui rapportent le plus de détails secondaires, ne souffle mot de l'apostrophe de Bonaparte... Or tu penses bien que si elle avait été prononcée, chacun aurait été trop fier de dire qu'il l'avait entendue... Il faut attendre 1803 (six ans après la bataille des Pyramides) pour que l'on commence à parler des « quarante siècles ». L'auteur de la phrase que tu admires est inconnu. Certains historiens pensent que ce serait un journaliste... Quoi qu'il en soit, le mot eut immédiatement un grand succès. On le répétait dans les salons parisiens et on le publiait dans les gazettes. Il finit par inspirer au baron Gros le fameux tableau exposé au Salon de 1810, qui représente Bonaparte entouré de ses généraux et désignant d'un geste théâtral les trois pyramides. Toile qui enthousiasma la critique, émut les Parisiens et accrut le prestige de l'empereur, mais dut étonner les personnages qui s'y trouvaient représentés, lesquels, pourtant présents à cette bataille, ne se souvenaient pas d'avoir entendu la célèbre phrase...

Maud avait les yeux hors de la tête :

— C'est incroyable... Et Napoléon n'a jamais démenti ?

— Jamais ! Trop heureux de l'aubaine, lui qui a passé sa vie à bâtir sa légende... Et douze ans plus tard, à Sainte-Hélène, il demanda lui-même au général Gourgaud, qui écrivait ses *Mémoires*, de mentionner son « mot ».

— Mais Gourgaud l'avait peut-être entendu prononcer ?

— Impossible ! En 1798, lorsque eut lieu la bataille des Pyramides, il avait quinze ans et vivait chez ses parents, à Versailles. Ville qui, comme tu le sais, est « assez » éloignée du Caire...

Maud demeura un moment songeuse.

— S'il n'a pas dit cela, Napoléon, quelle phrase célèbre a-t-il réellement prononcée ?

— Celle-ci : « Il faut être charlatan. Ce n'est que comme cela qu'on réussit. »

— Je te déteste !

— Rassure-toi, bien d'autres mots dits « historiques » sont apocryphes...

— « Paris vaut bien une messe » ?

— Faux ! Henri IV était bien trop habile pour montrer publiquement autant de cynisme. D'ailleurs, on ne trouve ce « mot » ni dans les écrits du temps, ni même dans ceux de l'époque de Louis XIII. Ce n'est qu'un bon siècle plus tard que des auteurs, peu dignes de foi, le mentionnent. Et puis, il ne faut pas oublier un détail qui a son importance, bien qu'il soit généralement omis dans les manuels scolaires : le roi Henri s'est converti sincèrement au catholicisme...

— Et la phrase de Galilée : « Et pourtant, elle tourne » ?

— Fausse aussi. La légende — car nous sommes loin de l'Histoire — veut que Galilée, accusé par le tribunal du Saint-Office de soutenir une thèse fausse concernant le mouvement de la Terre, ait abjuré ses « erreurs », la main sur les Évangiles ; puis se soit écrié, en frappant le sol du pied : « Et pourtant, elle tourne ! » On pourrait croire qu'après un tel éclat et un tel parjure, la terrible Inquisition ait condamné à mort notre astronome. Pas du tout. Le jour même de la sentence, le pape Urbain VIII commua la peine de prison prononcée par le tribunal en « résidence surveillée »...

— Ah, tout de même !

— Attends... Galilée resta huit jours dans le superbe palais de l'ambassadeur de Toscane.

Après quoi il fut conduit à Sienne, où il s'installa dans le palais de son ami le cardinal Piccolomini. Finalement, le pape l'autorisa à regagner sa villa d'Arcetri, près de Florence, et à reprendre en toute tranquillité ses travaux scientifiques...

— C'est stupéfiant !

— Tu penses bien que si Galilée s'était montré impertinent comme on le raconte, les choses ne se seraient pas passées ainsi. D'ailleurs, on connaît aujourd'hui l'auteur du fameux mot. C'est un écrivain italien, Giuseppe Baretti, qui, en 1757 — c'est-à-dire *124 ans plus tard* — inventa à la fois les prétendues tortures qu'on aurait infligées à Galilée pour le faire « abjurer », et le « mot » que personne, avant lui, n'avait jamais cité...

— « Il n'y a plus de Pyrénées » ?

— Aussi faux que « L'État, c'est moi ! » ou que « J'ai failli attendre ». C'est Voltaire qui l'a inventé, comme il en a inventé bien d'autres... Lorsque le petit-fils de Louis XIV devint roi d'Espagne, de jeunes seigneurs voulurent accompagner le nouveau souverain dans sa capitale. Mais le voyage leur semblait long et peut-être fatigant. Alors l'ambassadeur d'Espagne — et non Louis XIV — leur dit de ne point avoir de crainte « attendu que présentement les Pyrénées étaient fondues ». C'est avec ce compliment joliment tourné, rapporté par Dangeau, témoin de la scène, que Voltaire fera le « mot » célèbre qu'il attribuera au Roi-Soleil...

« Quant à "L'État, c'est moi !", cette phrase orgueilleuse que Louis XIV, âgé de dix-sept ans, aurait prononcée devant le Parlement en rentrant de la chasse, en justaucorps rouge et un fouet à la main, personne n'ignore plus aujourd'hui — sauf quelques auteurs de manuels scolaires — qu'elle a été fabriquée au XIXe siècle, en 1847 exactement, par un pseudo-historien nommé Lacretelle, qui la donna pour vraie dans son livre *Histoire des Français*...

— Et Louis XIV avait réellement un fouet à la main en se présentant devant le Parlement ?

— Non... cela aussi est faux. Ce détail a été imaginé par Voltaire, qui aimait le pittoresque.

— C'est insensé... Et « J'ai failli attendre » ?

— Ce mot n'est cité par aucun mémorialiste du temps. Il a dû être inventé, lui aussi, au XIXe siècle, pour parfaire la caricature d'un Louis XIV hautain et plein de morgue. Or une anecdote rapportée par Racine nous montre un personnage bien différent. Un jour, à Versailles, un portier du parc se fit longtemps attendre. Lorsqu'il arriva enfin en courant, tous les assistants injurièrent le malheureux. Alors Louis XIV intervint « Pourquoi le grondez-vous ? dit-il. Croyez-vous qu'il ne soit pas assez affligé *de m'avoir fait attendre* ? » Nous sommes loin de la suffisance prêtée au roi par l'auteur du mot qui, hélas, figure encore dans bien des manuels...

— Et la phrase de Mirabeau où il est question de baïonnettes ?

— Celle qu'il aurait lancée à M. de Dreux-Brézé : « Allez dire à votre maître que nous sommes ici par la volonté du peuple et que nous n'en sortirons que par la force des baïonnettes » ?

— Oui, celle-là. Elle est vraie, j'espère, car à l'école, elle me faisait frissonner... Je trouvais que c'était aussi beau que *Le Cid* !

— Je suis désolé de te décevoir, mais ce mot est faux. Je te rappelle les faits : Le 23 juin 1789, le marquis de Dreux-Brézé, grand maître des cérémonies, pénètre dans la salle de l'hôtel des Menus, à Versailles, où les États généraux tiennent leur séance, et redit aux représentants du tiers état que le roi leur ordonne de se retirer. À ce moment, Mirabeau se serait dressé, « le torse bombé et l'index menaçant », et aurait, de sa voix puissante, prononcé la phrase que tu admires... En réalité, les choses se sont passées différemment. D'abord, ce n'est pas Mirabeau qui répondit à M. de Dreux-Brézé, c'est le président Bailly, qui déclara respectueusement à l'envoyé du roi que « la Nation assemblée ne pouvait recevoir d'ordre ». Après quoi seulement, et dans un grand tumulte, les représentants se dressèrent pour crier leur indignation : « Qu'on vienne nous chercher ! », « Personne ne peut nous obliger à sortir ! », « Sauf la force ! » cria quelqu'un. Mirabeau, mêlant sa voix aux autres, lança à la cantonade : « Nous sommes assemblés par la volonté nationale, nous ne sortirons que par la force ! » Ce qui est une phrase banale de politicien. Et c'est cette phrase-là que les assistants ont entendue, pas une autre... Mais plus tard, Mirabeau, dont on connaît l'insupportable fatuité, pensa qu'il fallait s'attribuer le premier rôle dans cette affaire et améliorer son apostrophe. C'est alors que, pour lui donner un ton plus théâtral, il ajouta le mot « baïonnettes » aux paroles assez plates qu'il avait prononcées... Ces baïonnettes qui firent battre ton cœur de petite fille.

Maud demeura un moment pensive, puis elle releva brusquement la tête :

— Et le mot de Cambronne, tu ne vas tout de même pas me dire qu'il est faux ?

— Si ! On sait aujourd'hui que non seulement Cambronne n'a jamais dit « La garde meurt, mais ne se rend pas » (qui a été inventé de toutes pièces six jours après Waterloo par un journaliste nommé Rougemont, rédacteur au *Journal général de France*), mais encore qu'il n'a pas répondu non plus l'autre mot...

— Même celui-là !

— Eh oui, même celui-là...

— Alors, qu'a-t-il dit ?

— Rien.

— Le mot de Cambronne n'a pas été prononcé ?

— Si, mais pas par Cambronne... D'ailleurs, il s'en est défendu toute sa vie. C'est un lieutenant de vaisseau nommé Collet qui, sommé de se rendre par les Anglais, le prononça, quarante-neuf jours après Waterloo... Quant à Cambronne, dont on a fait le héros du légendaire « dernier carré », on ignore généralement qu'il s'est rendu *individuellement et sans combattre* au colonel britannique Hugh Halkett ; après quoi, il épousa une Anglaise, ce qui inspira une pièce à Sacha Guitry.

— Alors, tous les mots historiques sont faux ?

— Non, pas tous. J'en connais au moins un qui est authentique. Il a été prononcé en mai 1940 par Paul Reynaud.

— Et c'est ?

— « Nous vaincrons parce que nous sommes les plus forts ! »

SOURCES

Henri GAUBERT : *Les Mots historiques qui n'ont pas été prononcés*, Éd. Fontenelle, 1946.

Édouard FOURNIER : *L'Esprit dans l'Histoire*, Éd. Dentu, 1882.

Léon TREICH : *Énigmes historiques*, Éd. Fontenelle.

9

LE 14 JUILLET 1789, LES RÉVOLUTIONNAIRES S'EMPARÈRENT D'UNE PRISON 4 ÉTOILES...

Où l'on voit qu'à la Bastille les détenus étaient traités comme des princes

Maud était plongée dans les mots croisés d'un magazine féminin. Elle se tourna vers moi :

— « Entrepreneur patriote », en six lettres commençant par un P... Tu connais ça, toi ?

— Palloy !

— Palois ? Qu'est-ce que cela veut dire ? Un habitant de Pau ?

— Non, ce n'est pas un « Palois ». C'est un monsieur qui s'appelait Palloy...

— Et il était « entrepreneur patriote » ? C'est un curieux métier !

— Oui. Il dirigeait une entreprise de démolition.

— Avec patriotisme ?

— Il l'a dit...

— Et qu'est-ce qu'il a démoli ?

— La Bastille !

— Ah bon, tout simplement... Il est venu le 14 juillet 1789 avec une pioche ?

— Non, il était prêt depuis la veille, avec une équipe de démolisseurs armés de pics et de pelles.

— Mais je croyais qu'il s'agissait d'un mouvement spontané du peuple parisien ? C'est du moins ce que dit Michelet dans une page qui m'a toujours émue...

Elle alla chercher le tome I de l'*Histoire de la Révolution française*.

— Écoute : « Le 14 juillet, une idée se leva sur Paris avec le jour et tous virent la même lumière. Une lumière dans les esprits et dans chaque cœur une voix : "Va, et tu prendras la Bastille !" »

— Tu es sûre de ne pas me lire l'histoire de Jeanne d'Arc ?

— Tais-toi et écoute la fin. Elle est sublime : « Cela était impossible, insensé, étrange à dire... Et tous le crurent néanmoins. Et cela se fit ! » N'est-ce pas beau ?

— Écoute, ma chérie, si tu veux te documenter sur l'histoire de notre pays, lis plutôt l'*Histoire de France racontée par Cami*... Si ce n'est pas plus sérieux, au moins c'est plus drôle !

Elle me toisa :

— Toi, tu n'aimes pas Michelet !

— Non, autant te l'avouer tout de suite...

— Et pourquoi, s'il te plaît ?

— Parce que quelqu'un qui l'a bien connu et bien étudié, le critique Émile Faguet, a écrit à son sujet cette phrase terrible : « La vérité n'était pas son idole. » Tu avoueras que, pour un historien, c'est grave ! Il ajoute : « C'était une des plus belles imaginations de notre littérature. » Tout le contraire d'un Fustel de Coulanges qui, tu le sais, disait sans cesse : « Avez-vous un texte ? » Et Faguet conclut : « Ce n'était pas un très grand esprit ! »

— Mais ce Faguet, qui était-il exactement ? Je n'en ai qu'un souvenir très vague.

— C'était un homme d'une immense érudition qui vivait seul dans un appartement couvert de livres, et qui dégageait, lorsqu'il se chauffait devant un feu de cheminée, « l'odeur agréable d'un vieux dindonneau »...

Maud ouvrit de grands yeux :

— Qu'est-ce que tu me racontes ?

— Je n'invente rien. Écoute le portrait savoureux que fait de lui Léon Daudet dans un de ses livres, *Salons et Journaux* :

« Pour faire visite à Mme de Luynes, Faguet endossait une belle redingote noire, comme pour un duel au pistolet ; il avait le cou noir, un liseré noir laissé par son chapeau sur le front, les doigts gris et les ongles noirs, une paire de gants de fil terne à la main, des croquenots d'asile de nuit. L'entrée de cet olibrius provoquait un certain émoi. En hiver, il se mettait devant la cheminée, relevait ses basques, et le rôtissage de ses reins et de son torse dégageait bientôt une odeur nullement désagréable, appétissante même, telle que d'un vieux dindonneau. De temps en temps, d'une griffe alerte, il relevait son gilet et se grattait le nombril... »

— Bref, c'était une sorte de Léautaud.

— Exactement.

— Mais revenons à Palloy. Comment sait-on qu'il était prêt dès le 13 juillet ?

— Parce qu'il l'a écrit dans une sorte de journal intime qu'il a tenu une partie de sa vie et auquel il avait donné le titre de *Livre de Raison*. Ce journal a été publié en 1956 par mon ami Romi. Écoute ce que Palloy a noté le 13 juillet à 10 heures du soir. C'est instructif :

Ce matin, à 11 heures, j'ai assisté à la grande réunion des Frères (il était franc-maçon) *dans l'église Saint-Antoine. C'est Dufour, officier du Grand Orient, qui présida avec un député de la loge Modération de l'Orient de Paris. Nous y*

avons décidé (retiens bien cela !) *qu'une insur-*
rection populaire commencera dans le faubourg
Saint-Antoine... Ils espèrent tous en faire une
vraie révolution. On verra bien !

« Ces propos sont confirmés par Bertrand
de Molleville, ministre de Louis XVI, qui écrit
dans ses *Mémoires* : « C'est dans une séance
de la loge "Les Amis réunis" que fut préparée
la prise de la Bastille. »

« Nous voilà loin du mouvement spontané
dont parle Michelet.

« Mais comment entraîner le peuple dans
cette aventure ? Palloy va nous le dire. Écoute
bien :

Nos Frères La Fayette, Sieyès, Monnier, Le
Chapelin lancent en même temps un manifeste
par lequel les conseillers du roi vont être respon-
sables de l'ensemble des événements. En distri-
buant quelque argent à des coquins bien armés,
on arrivera bien à une révolution. Les fonds ne
manquent point. Le Frère marquis de la Salle
me promet de me mettre au courant. Il prétend
que je dois me tenir prêt avec des ouvriers pour
aller démolir la Bastille... Depuis si longtemps
que je l'attends, ce sacré chantier !

« Le mardi 14 juillet au matin, Palloy note
ceci dans son *Journal* :

Le plan d'attaque de la Bastille est prêt... J'ai vu cette nuit le marquis de la Salle. Je n'ai pas perdu une minute. Le gros du peuple ignore tout. Santerre s'occupera de les conduire. J'ai donné des instructions à Houette et à Janin. Cette fois, l'heure de la démolition a sonné !

« Le mardi 14 juillet, dans la nuit, il écrit :

Mes hommes sont entrés à la Bastille à cinq heures du soir.

« Et le 15 juillet, il ajoute :

Je me suis porté à la Bastille pour aider par mes conseils les ouvriers que j'ai augmentés en nombre... Il a fallu équiper sept cents hommes, j'ai failli manquer de pioches et de pelles... On ne pense pas au sommeil quand on entre dans la gloire et dans l'idéal de liberté...

« Tu vois, le brave Palloy, pour avoir obtenu ce "chantier de démolition", comme il dit, et pour lequel il sera payé, devient à ses propres yeux un véritable héros. Mais le petit peuple a de lui une autre opinion. On le considère comme un profiteur et un opportuniste. La preuve en est qu'il note à la date du 16 juillet :

Je fus à la Bastille pour faire ma paye. Plusieurs gueux, entre autres le coupeur de têtes, avaient projeté de me pendre. J'ai vu à un arbre la corde disposée pour l'exécution. Les coups de marteau et autres tombèrent sur moi. Je me suis défendu et ai lutté contre mes assassins pendant quatre heures ; je perdis quarante-huit livres qui me furent volées...

« Le commerçant réapparaît !

« Il ajoute :

J'ai reçu le soir un coup de fusil qui a percé mon chapeau... Je n'irai jamais plus sur le chantier de la Bastille sans arme !

— Mais cette Bastille que Palloy démolissait d'une pioche « patriotique », mais non sans risque, que représentait-elle en 1789 ?

— Plus grand-chose ! À tel point qu'en 1784 le roi lui-même, considérant que, avec le personnel important qui s'y trouvait employé, elle coûtait très cher alors qu'elle ne servait plus à rien, en avait demandé la démolition.

— Tu me parles du « personnel » de la Bastille comme s'il s'agissait d'un grand hôtel...

— Cela va t'étonner, mais c'était un peu cela. Écoute : il y avait quatre cuisiniers, un coiffeur qui rasait les prisonniers et leur coupait les cheveux, un commissaire chargé de leur fournir des vêtements provenant du magasin d'habillement, deux couturières, deux blanchisseuses, deux femmes de chambre, un médecin, un chirurgien, une sage-femme, un pharmacien, un chapelain, un confesseur, un vicaire, quatre guichetiers, sans compter tous les valets de chambre que les prisonniers étaient autorisés à faire venir en prison pour les servir « aux frais de l'État »... À cela s'ajoutaient, bien entendu, l'entretien d'une compagnie d'Invalides, avec officiers et sous-officiers, pour garder la Bastille, et naturellement une garnison, un commandant de place, un major et un officier d'ordonnance...

Maud ouvrait de grands yeux :

— Ce que tu me racontes est proprement stupéfiant ! Quoi ? Il y avait des cuisiniers, des couturières, un coiffeur, une sage-femme à la Bastille ? Et un magasin d'habillement ?

— Mais oui. Qui fournissait à chaque prisonnier ce que l'on a pu appeler l'« uniforme de la Bastille » : une robe de chambre ouatée...

— Tu te moques de moi. Je n'ai jamais entendu parler de tout cela.

— Parce que tu ne lis que Michelet ! À propos, que dit-il de la vie des prisonniers à la Bastille ?

— Il parle de « cachots noirs, profonds, fétides, où le prisonnier, au niveau des égouts, vivait assiégé, menacé par des crapauds, des rats et des bêtes immondes »...

— Et son confrère, l'« historien » Louis Blanc, qui aimait le pittoresque, ajoute quelques détails que l'on croirait tirés d'un roman d'horreur. *Il y avait*, écrit-il, *des réduits à cages de fer... Mais rien de comparable aux cachots du bas, affreux repaires de crapauds, de lézards, de rats monstrueux, d'araignées ! Cachots dont plusieurs n'avaient d'autre ouverture qu'une barbacane donnant sur le fossé où se dégorgeait le grand égout de la rue Saint-Antoine. Cachots où l'on respirait un air empesté en compagnie d'animaux hideux, au sein des ténèbres...*

— Et ces détails ne reposent sur aucun document ?

— Aucun !

— Alors, où allaient-ils chercher tout cela ?

— C'est très simple : dans leur imagination. Voulant frapper les esprits, ils inventaient...

— Ces « historiens » n'ont pas consulté les archives de la Bastille ?

— Mais non, car cela les aurait obligés à modifier leurs idées sur la Révolution. Imagine leur surprise, leur déconvenue et leur gêne en découvrant que les prisonniers avaient à leur disposition — à la demande expresse du roi — un magasin d'habillement...

— Je dois dire que cela me stupéfie. Mais a-t-on des preuves de cela ?

— Bien sûr ! Il existe, par exemple, dans les archives de la Bastille précisément, qui se trouvent aujourd'hui à l'Arsenal, une lettre du commissaire chargé des vêtements, écrivant en ces termes au major, le 29 août 1759 : *Au sujet de deux détenus, les sieurs Tavernier et de Lussan, je vous prie de permettre au tailleur de faire une robe de chambre avec sa veste et une culotte à Tavernier, et une veste et une culotte de ratine à de Lussan, et de permettre au bonnetier de fournir une paire de bas à Tavernier, et une paire de bas de laine et trois paires de bas de dessous à de Lussan à qui j'envoie une paire de boucles de soulier. De Lussan donnera la mesure de son col et de son poignet pour lui faire trois chemises et trois cols. Vous permettrez au cordonnier de faire une paire de souliers à de Lussan et, comme il faut une paire de pantoufles à Tavernier, ne pensez-vous pas qu'il faut les lui envoyer toutes faites ?*

— C'est ahurissant...

— Il y a mieux : On trouve également dans les archives une lettre d'un certain Jean Hugonet, valet de chambre du chevalier d'Éon alors détenu à la Bastille. Elle est datée de février 1767 : *Monsieur le major, les chemises que l'on m'a apportées hier ne sont point celles que j'ai demandées, car il me ressouvient d'avoir écrit : "fines, avec manchettes brodées" ; au lieu que celles qui sont ici sont grosses, d'une très mauvaise toile et avec des manchettes tout au plus*

propres pour un porte-clés. C'est pourquoi je
vous prie de les renvoyer à M. le commissaire.
Qu'il les garde ! Pour moi, je n'en veux pas !

« Il existe des centaines de lettres de ce
genre dans les archives de la Bastille. Certaines
émanent du célèbre Latude, qui se montre très
exigeant. Il réclame "deux gilets de flanelle
d'Angleterre, deux mouchoirs de soie pour le
cou, une paire de bas, une tabatière et une
petite lorgnette". Sans doute pour regarder les
jolies Parisiennes du haut de la tour où il fait
sa promenade quotidienne...

« Des prisonniers, et surtout des prisonniè-
res — cela ne t'étonnera pas —, se montrent
encore plus exigeants que Latude. Une certaine dame Sauvé, par exemple, demande
qu'on lui fasse une robe blanche semée de
fleurs vertes. La femme du commissaire
Rochebrune courut pendant plusieurs jours,
en vain, tous les magasins de Paris. Finalement, elle écrivit, désolée : *Nulle faiseuse ne*
possède cette étoffe ; ce qui s'en rapproche le
plus est une soie blanche avec des lignes vertes ;
si la dame Sauvé veut bien s'en contenter, on
viendra prendre mesure.

— Mais tout cela date des années 1770.
C'est-à-dire vingt ans avant la prise de la Bastille. Le régime avait dû se durcir.

— Au contraire. Louis XVI était très attentif au bien-être des prisonniers. C'est lui qui leur permit, entre autres, la lecture des gazettes. Il autorisa également les jeux de cartes, les échecs, le trictrac. En 1788, douze gentilshommes bretons ayant demandé un billard pour se distraire, ce jeu leur fut accordé sans problème. D'autres prisonniers avaient la permission d'avoir des chats, des oiseaux, des chiens, un violon, un clavecin dans leur chambre...

— Tu dis leur « chambre » ?

— Oui, car il ne s'agissait pas d'affreux cachots comme le racontent tes « historiens ». Chacune de ces chambres était chauffée par une cheminée ou par un poêle. Le futur général Dumouriez, qui fut condamné pour avoir détourné une partie des fonds destinés à ses missions d'agent secret, écrit dans ses *Mémoires* (il parle de lui à la troisième personne) : *Il arriva à la Bastille à neuf heures du soir... Un porte-clés ou geôlier très grossier et très robuste lui alluma du feu... Le nouvel appartement avait une antichambre. C'était une fort belle pièce de vingt-six pieds de long sur dix-huit de large, avec une fort bonne cheminée...* Dans un autre ouvrage du temps, on lit ceci : *Un lit de serge verte avec rideaux, une ou deux tables, plusieurs chaises, des chenets, une pelle et de petites pin-*

cettes, tel était l'ameublement que le détenu trouvait en entrant ; mais il était libre de faire venir des meubles du dehors.

— Tout cela semble incroyable quand on a lu les livres de Michelet, de Louis Blanc...

— Et autres historiens « engagés »... Tu as raison.

— Tu m'as parlé de cuisiniers. Tu ne vas pas me dire que les prisonniers de la Bastille avaient droit à des repas succulents ?

— Succulents, je ne sais pas, mais voici ce qui fut servi en 1789, au cours des mois précédant la prise de la Bastille, à un prisonnier qui n'était pas un gentilhomme, mais le fils d'un concierge arrêté pour avoir été mêlé à un complot contre la vie du roi. Nous trouvons, à son nom, dans les comptes de la prison, pour le mois de novembre 1788, « quatre bouteilles d'eau-de-vie, soixante bouteilles de vin, trente bouteilles de bière, deux livres de café, trois livres de sucre, une dinde, des huîtres, des châtaignes, des pommes, des poires et du tabac ». Pour le mois de mars 1789 : « Du tabac, quatre bouteilles d'eau-de-vie, quarante-cinq bouteilles de vin, trente et une bouteilles de bière, pigeons, café, sucre, poulet, fromage ». En mai : « Tabac, quatre bouteilles d'eau-de-vie, soixante bouteilles de vin ; trente et une bou-

teilles de bière, pigeons, café, sucre, fromage ».
Veux-tu savoir ce qui fut servi au marquis de
Sade pour le mois de janvier 1789 ? « Crème
au chocolat, poulet gras aux marrons, poular-
des aux truffes, pâtés de jambon, marmelade
d'abricots », etc.

— Mais c'était un restaurant 4 étoiles, cette
Bastille !

— Les nouveaux prisonniers étaient si loin
de s'attendre à un tel régime que certains com-
mettaient d'amusantes erreurs. Ce fut le cas
pour Mme de Staël. Elle raconte dans ses
Mémoires qu'en arrivant à la Bastille avec
Mlle Rondel, sa femme de chambre, elle entendit un bruit régulier qui l'inquiéta. Comme elle
était de nature pessimiste, elle pensa qu'il
s'agissait d'une machine destinée à les « mettre
en poussière ». Serrées l'une contre l'autre, les
deux femmes attendirent la mort en tremblant.
C'est dans cette attitude que le porte-clés les
découvrit en leur apportant le dîner. Informé
des causes de leur frayeur, il leur expliqua
alors en riant que le bruit qui les terrorisait
était celui du tournebroche installé dans la cuisine située sous leur chambre.

— Cette anecdote aurait stupéfié Michelet...

— Et Louis Blanc, donc ! Lui qui écrivait :
Le pont-levis de la cour intérieure une fois fran-

chi, c'en était fait du prisonnier. Enveloppé des ombres les plus sinistres du mystère, condamné à une ignorance absolue du genre de supplice qui l'attendait, il avait cessé d'appartenir à la terre... Et l'on comprend que Karl Marx qui, comme tu le sais, n'était pourtant pas spécialement réactionnaire, ait pu écrire de lui : « Ses travaux historiques, il les fait comme Alexandre Dumas ses feuilletons. »

— Et pourtant, Louis Blanc continue de faire autorité dans les manuels scolaires.

— Parce que ses écrits permettent à certains historiens engagés de notre temps de justifier tous les excès de la Révolution, y compris ceux de la Terreur... Louis Blanc, qui voulait transformer la Révolution en une sorte de fête joyeuse où un peuple aimable allait en dansant faire tomber les têtes d'affreux personnages, s'ingéniait à salir tout ce qui touchait à l'Ancien Régime.

— D'après ce que tu m'as lu sur les cachots, il n'y allait pas avec le dos de la cuillère...

— Tu as raison. Le sens de la mesure n'était pas sa qualité dominante. Michelet était plus sage dans ses excès, si j'ose dire. Mais son parti pris le poussait, lui aussi, à déformer la vérité. Pour amener le lecteur à ses vues, il n'hésitait pas à noircir certains personnages, alors qu'il en blanchissait d'autres de façon scandaleuse. Écoute ce que dit Émile Faguet expliquant la méthode partisane de Michelet : *Il faut* que Mirabeau *ait été pur*, que Danton *ait été étranger* aux Massacres de septembre, que ces massacres mêmes *n'aient pas été faits par le peuple* (qui est toujours bon et généreux), et qu'ils se soient faits à peu près tout seuls... En revanche, les rois ne sont pas encore assez noirs de toutes les fautes qu'ils ont commises. *Il faut* que Louis XVI ne soit pas seulement ce qu'il a été, mais plus *monstrueux* que le symbole même du crime. Pire que Néron, pire qu'Héliogabale.

— Mais sur quels documents Michelet s'appuie-t-il pour affirmer tout cela ?

— À ta question, il répond, avec un toupet olympien, qu'il a trouvé ces informations dans les *Mémoires* du duc de Luynes. Or, nous dit Faguet, « J'ouvre les *Mémoires* du duc de Luynes et je ne trouve rien de pareil, ni même rien d'approchant... Pourtant, ajoute-t-il, Michelet l'a vu, lui. Alors ? C'est que, conclut-il avec malice, nous ne voyons pas avec ses yeux »...

— Mais que pensent les autres critiques de Michelet ?

— Veux-tu l'opinion de Kléber Haedens exprimée dans son _Histoire de la littérature française_ ?

— Je t'écoute.

On éprouve, à le lire, une sorte de gêne qui tient à la faiblesse de sa pensée presque toujours en liquéfaction...

— Cela commence bien !

— Il ajoute : _Il a pour le savoir une absence totale de jugement critique et de raison. Il néglige les connaissances pour se fier à son intuition, à son pouvoir de visionnaire romantique, car il lui suffit d'exalter les manifestations populaires pour se croire dans la vérité. Républicain et démocrate, il voue en effet au peuple un culte sommaire, touchant et naïf._ Culte naïf qui le conduisit naturellement à perdre toute objectivité ; ce qui, tu en conviendras, est grave pour un historien. Car, ayant en main, comme la plupart des chercheurs de son époque, tous les documents qui lui auraient permis d'écrire une histoire vraie, honnête et impartiale de la Révolution française, il a éliminé tous les textes qui ne correspondaient pas à ses idées et il a tronqué ou falsifié les autres. Lis Taine, par exemple, et tu verras la différence.

— Et c'est le nom de cet historien truqueur et délirant que l'on a donné à des rues, des avenues, des boulevards, des collèges et des lycées dans toute la France ?

— Eh oui !

— Mais revenons à la Bastille qui semble avoir empêché Michelet de dormir. Tu m'as dit qu'en 1784 Louis XVI en avait demandé la démolition. Est-on sûr de cela ?

— Absolument sûr. Il existe d'ailleurs au musée Carnavalet un plan dessiné par l'architecte Corbet, intitulé *Projet d'une place publique à la gloire de Louis XVI, sur l'emplacement de la Bastille.*

— Que comptait-on mettre sur cette place ?

— Une colonne surmontée, non pas d'un génie, mais d'une statue du roi « brisant des chaînes », avec cette inscription : « À Louis XVI, restaurateur de la Liberté publique. »

— En somme, la Bastille a failli être prise par Louis XVI en 1784 !

— Comme toujours, tu résumes admirablement les choses...

— À propos, comme je commence à me douter que le récit de la prise de la Bastille par Michelet doit être du roman-feuilleton, peux-

tu me dire, au moyen de documents authenti-
ques, comment les choses se sont réellement
passées ?

— Il faut toujours partir de Michelet puisque c'est lui qui a inspiré presque tous les
auteurs de manuels scolaires.

— Et dire le contraire ?

— Non, pas toujours. Mais le corriger, oui.
C'est ce que nous allons faire. Que dit-il ? *L'attaque de la Bastille ne fut nullement raisonna-
ble. Ce fut un acte de foi. Personne ne proposa.
Mais tous crurent et tous agirent. Le long des
rues, des quais, des ponts, des boulevards, la
foule criait à la foule : "À la Bastille ! À la Bastille !"... Et dans le tocsin qui sonnait, tous
entendaient : "À la Bastille !"*

— Il invente encore ?

— Pas tout à fait... Il interprète : *S'il est vrai
que de braves gens criaient : "À la Bastille !", ce
n'était pas pour aller la prendre. Ils n'y son-
geaient même pas ! C'était pour s'emparer des
armes qui s'y trouvaient entreposées.* Car
Michelet omet de nous dire l'essentiel. À cette
époque, Paris était envahi par des bandes d'individus armés qui pillaient les magasins, attaquaient les commerçants et détroussaient les
passants. Ces individus, que les Parisiens
appelaient les « brigands », faisaient régner la

terreur, à tel point que les braves gens s'organisèrent en milices pour se défendre. Écoute ce que dit le baron de Besenval dans ses *Mémoires : Dès le commencement du mois de mai, on vit abonder une quantité d'étrangers de tous les pays, la plupart déguenillés, armés de grands bâtons et dont l'aspect effrayant pouvait faire juger de ce que l'on devait en craindre.*

« Taine se penche également sur cet épisode peu connu de la période prérévolutionnaire. Voici ce qu'il écrit... et je te rappelle que Taine n'est pas un historien comme Michelet qui se fie naïvement aux élans de son cœur pour décrire une Révolution angélique. Chez lui, tout repose sur des documents irréfutables qu'il cite et que l'on peut vérifier. Après avoir décrit l'apparition de bandes de « brigands » dans les rues de Paris, il ajoute : *Aussitôt, la lie de la société monte à la surface. Dans la nuit du 12 au 13 juillet, toutes les barrières depuis le faubourg Saint-Antoine jusqu'au faubourg Saint-Honoré, outre celles des faubourgs Saint-Marcel et Saint-Jacques, sont forcées et incendiées. Des brigands armés de piques et de bâtons se portent partout en plusieurs divisions pour livrer au pillage les maisons dont les maîtres sont regardés comme les ennemis du bien public. Ils vont de porte en porte en criant :*

"*Des armes et du pain !*" *Durant cette nuit effrayante, la bourgeoisie se tenait enfermée, chacun tremblant pour soi et pour les siens. Le lendemain 13, la capitale semble livrée à la dernière plèbe et aux bandits. Une bande enfonce à coups de hache la porte des lazaristes, brise la bibliothèque, les armoires, les tableaux, les fenêtres, le cabinet de physique, se précipite dans les caves, défonce les tonneaux, se soûle. Vingt-quatre heures après, on y trouva une trentaine de morts et de mourants, noyés dans le vin, hommes et femmes, dont une enceinte de neuf mois... Pendant la nuit du 13 au 14, on pille des boutiques de boulangers et de marchands de vin ; des hommes de la plus vile populace, armés de fusils, de broches et de piques, se font ouvrir les portes des maisons, donner à boire, à manger, de l'argent et des armes. Vagabonds déguenillés, plusieurs "presque nus", la plupart armés comme des sauvages, d'une physionomie effrayante, ils sont de ceux que l'on ne se souvient pas d'avoir rencontrés au grand jour ; beaucoup sont des étrangers, venus on ne sait d'où. On dit qu'il y en a cinquante mille...*

« Mais il faut tout lire. Écoute la suite : *Pendant deux jours et deux nuits*, dit Bailly, *Paris courut le risque d'être pillée et ne fut sauvée des bandits que par la Garde nationale.* De son côté, Dussaut avoue qu'il "a cru assister à la décomposition totale de la société". Et Taine résume son opinion par cette phrase, qui peut s'appliquer d'ailleurs à toute la Révolution : *Le nouveau souverain s'est montré : c'est le peuple en armes et dans la rue.*

— Cela n'a pas dû plaire à Michelet ?

— Non. Aussi n'a-t-il jamais parlé des « brigands » qui pillaient, dévalisaient et attaquaient les Parisiens. De tels détails auraient pu donner une mauvaise image de ce peuple qu'il adorait. Pourtant, tous les témoins sont formels, et certains ajoutent des détails que Taine ne donne pas. On apprend, par exemple, grâce à eux, que les « brigands » attaquaient les femmes dans la rue et leur arrachaient leurs boucles d'oreilles. *Si la boucle résistait*, note l'un d'eux, *l'oreille était déchirée.*

— Oh, les braves gens !

— Au début de juillet, note un autre témoin, l'audace des « brigands », dont le nombre a considérablement augmenté, atteint des proportions inimaginables. Certains envahissent les églises, pillent les sacristies, cassent le mobilier, s'emparent des vêtements sacerdotaux et les revêtent pour se livrer dans les rues à des parodies de procession ; d'autres violent des passantes et les étranglent. C'est alors que

des braves gens, excédés, se ruent sur ces bandits et en pendent quelques-uns aux lanternes.
— Ah ! Enfin !
— Ils décident alors de se défendre effica-
cement. Le matin du 14 juillet, des groupes se
forment, criant : « Il nous faut des armes ! »
Ils pensent aux Invalides, où se trouve un véritable arsenal, et s'y ruent... Là, ils s'emparent
de vingt-huit mille fusils et de vingt-quatre
canons.
— Ce n'est pas mal !
— Mais cela leur semble insuffisant. Alors
ils cherchent un autre dépôt d'armes et quelqu'un lance : « Allons à la Bastille ! » C'est
cette phrase, aussitôt répétée par la foule, que
nous rapporte Michelet. Mais il en déforme le
sens : d'un cri d'espoir, il fait un véritable cri
de guerre.
— Et voilà comment on écrit l'Histoire !
Alors, la foule se rua vers la vieille prison ?
— Oui, et dans cette foule, il y avait trois
catégories d'individus. Ceux qui voulaient des
armes pour se défendre contre les « brigands », les « brigands » eux-mêmes qui dé-
siraient parfaire leur armement afin de
continuer à piller allégrement Paris, et enfin
— mais en minorité — ceux dont nous parle
le patriote Palloy, qui, poussés par les hommes

du duc d'Orléans, voulaient, eux, s'emparer vraiment de la Bastille pour préparer la Révolution, renverser Louis XVI et pousser leur maître sur le trône... À ces trois catégories de manifestants, il faut en ajouter une quatrième : les curieux, ces éternels badauds parisiens qui devaient être là, déjà, en 52 avant J.-C., pour voir passer Labienus, le lieutenant de César, entrant dans Lutèce, comme ils étaient là, en septembre 1429, pour voir Jeanne d'Arc, de retour de Reims, faire le siège devant la porte Saint-Honoré, comme ils étaient là, en 1815, pour voir entrer les troupes alliées qui venaient de battre Napoléon à Waterloo, et comme ils seront là, en juin 1940, pour assister à l'entrée des premiers chars allemands sur les Champs-Élysées ; tout comme ils seront encore là pour les voir déguerpir en août 1944... Ces badauds, je les ai vus en avril 1944, massés sur la place de l'Hôtel de Ville pour applaudir le maréchal Pétain... et revenir — *les mêmes* — quatre mois plus tard, au *même* endroit, acclamer le général de Gaulle...

— Et tu es sûr qu'il y avait des badauds pour voir « prendre la Bastille » ?

— Certain ! Le chancelier Pasquier nous dit dans ses *Mémoires* qu'il assista à l'événement en compagnie d'une comédienne du

Français : *J'ai assisté à la prise de la Bastille,* écrit-il, (il avait alors vingt-deux ans) *ce que l'on a appelé le "combat" ne fut pas sérieux, la résistance fut complètement nulle, il n'y avait dans la place ni vivres ni munitions. Il ne fut même pas besoin de l'investir. On tira quelques coups de fusil auxquels il ne fut pas répondu, et quatre ou cinq coups de canon...*

— Nous voilà loin des véritables scènes de guerre que l'on peut voir sur les gravures publiées par la suite et qui illustrent encore nos manuels scolaires...

— Tu as raison. Et c'est très différent aussi de la délirante description que nous en donne Michelet sur un ton pathétique. Je te laisse le soin de lire les pages 144 à 155 de son *Histoire de la Révolution* dans l'édition Bouquins. Mais je poursuis la lecture des *Mémoires* du chancelier Pasquier : *On sait les conséquences de cette prétendue victoire, qui a attiré tant de faveurs sur la tête des prétendus vainqueurs ; la vérité est que ce grand combat n'a pas un instant effrayé les nombreux spectateurs qui étaient accourus pour en voir le résultat. Parmi eux se trouvaient beaucoup de jolies femmes. Elles avaient, afin de s'approcher plus facilement, laissé leurs voitures à quelque distance.*

Maud sursauta :

— Quoi ? Ces dames étaient venues là comme à un spectacle ? Et elles n'ont pas eu peur alors que l'on s'entretuait à quelques mètres d'elles ?

— Non. Pour la bonne raison, je te le répète, qu'il n'y a pas eu de bataille. Le chancelier Pasquier le dit clairement... Il ajoute d'ailleurs quelques précisions sur l'endroit où il se trouvait : *J'étais appuyé sur l'extrémité de la barrière qui fermait, du côté de la place de la Bastille, le jardin longeant la maison de Beaumarchais. À côté de moi était Mlle Contat, de la Comédie-Française ; nous restâmes jusqu'au dénouement et je lui donnai le bras jusqu'à sa voiture. Jolie autant qu'on peut l'être, Mlle Contat joignait aux grâces de sa personne un esprit des plus brillants...* On imagine la scène : tout en flirtant avec cette ravissante demoiselle, Pasquier regardait s'agiter, d'un œil amusé, ceux qui allaient devenir les héros du 14 juillet 1789. Bref, nos grands ancêtres.

— Alors, maintenant, je te le redemande, raconte-moi comment les choses se sont réellement passées.

— Pour cela, je vais utiliser les documents réunis par un historien « libre » et indépendant : Frantz Funck-Brentano, qui fut conservateur de la bibliothèque de l'Arsenal et eut, de ce fait, entre les mains, l'intégralité des archives de la Bastille.

— Je t'écoute. Le matin du 14 juillet, je suis sur place. Qu'est-ce que je vois ?

— Tu vois arriver par un soleil radieux — car il fait très beau ce jour-là — une foule d'individus portant joyeusement les armes dont ils viennent de s'emparer aux Invalides. Les uns pensent s'en servir pour former une milice bourgeoise destinée à lutter contre les « brigands » ; les autres (précisément les « brigands » eux-mêmes) pour continuer à attaquer les Parisiens et à piller les magasins. Tous ces gens sont étroitement mêlés, au point que tu ne saurais les distinguer. Vers 8 heures, ils se présentent devant le pont-levis et demandent qu'on leur donne des munitions... Car à ce moment, comme le précise Funck-Brentano, « il n'est question ni de liberté, ni de tyrannie, ni de délivrer des prisonniers, ni de protester contre l'autorité royale »... Tout cela a été inventé après coup. Néanmoins, dans cette foule s'infiltrent bientôt des agitateurs à la solde du duc d'Orléans qui « apportent le trouble », selon le mot de M. de Bouillé, et qui se mettent à crier : « Cassez la porte et entrons ! » Aussitôt, c'est la ruée.

— Mais la Bastille n'était-elle pas gardée militairement ?

— Si, il y avait une garnison composée de 95 Invalides et de 30 Suisses. Il y avait aussi quelques canons, mais le matin même, plusieurs députations des loges (amies du duc d'Orléans) étaient venues dire au gouverneur que les habitants du faubourg Saint-Antoine s'inquiétaient de la présence de ces bouches à feu qui menaçaient le quartier. Bien qu'elles ne soient utilisées que pour des salves de réjouissances publiques et ne présentent donc aucun danger pour la population, M. de Launay les avait fait retirer. Puis il avait donné l'ordre de boucher les embrasures avec des planches. En outre, la porte vers laquelle se ruait la foule n'était gardée que par un seul Invalide, lequel n'avait ni fusil ni pistolet, ceci sur l'ordre de M. de Launay, qui craignait qu'une sentinelle armée risque de blesser quelqu'un.

« La populace entre donc dans la cour sans la moindre difficulté... Là, elle coupe la chaîne du pont-levis et pénètre dans la seconde cour. Pour s'emparer du deuxième pont, la horde n'hésite pas à lancer une décharge de mousqueterie sur les gardes. Quatre d'entre eux tombent morts. Alors, M. de Launay ordonne aux soldats de riposter. Il y a quelques blessés légers, mais cela suffit pour que les manifestants s'élancent dans les rues en criant : "Le gouverneur de la Bastille fait massacrer les Parisiens !" Bruit bientôt colporté dans toute la ville par les soins des Orléanistes. Excitée par cette accusation mensongère, la populace, qui s'était dispersée aux premiers coups de feu, se rassemble de nouveau devant la Bastille en vociférant. Pour pénétrer à l'intérieur de la forteresse, quelques énergumènes ont alors une idée ignoble. Apercevant une jeune fille qu'ils pensent être Mlle de Launay, ils la traînent sur les bords des fossés en criant qu'ils vont la brûler vive si la place ne se rend pas. Déjà ils renversent la malheureuse sur une paillasse et y mettent le feu. Or cette demoiselle est en réalité la fille de M. de Musigny, capitaine de la compagnie d'Invalides de la Bastille... Du haut d'une tour, le pauvre homme voit la scène et proteste. Il est tué de deux coups de feu.

— Que voilà de braves « grands ancêtres » !

— Heureusement, un soldat s'interpose et parvient à sauver la malheureuse... Alors, la « horde sauvage », comme dit Funck-Brentano, se précipite sur le gouverneur. Il se défend, mais tombe assassiné. Un gros garçon s'empare du corps qui gît sur le pavé, boit un verre d'eau mêlée de poudre pour se donner du cœur, et, d'un canif habile, sépare la tête du tronc. Quand l'ouvrage est terminé, la foule applaudit et félicite le dépeceur qui explique avec gentillesse que, « cuisinier de son état, il sait travailler les viandes ».

— C'est répugnant !

— Par la suite, ce charmant jeune homme demandera une décoration pour son « acte civique ».

— Et c'est cela qu'on fête avec des bals et des feux d'artifice le 14 juillet ?

— Ce n'est pas tout. Le jeune cuisinier — il se nommait Desnot — ayant laissé la tête sanguinolente du gouverneur sur le pavé, des joyeuses commères s'en emparèrent, la plantèrent gaiement au bout d'une fourche et proposèrent d'aller la promener dans Paris. Cette idée intéressante fut accueillie avec enthousiasme. Et tandis qu'on assassinait avec allégresse une demi-douzaine d'Invalides, la foule se dirige vers l'Hôtel de Ville. Là, le prévôt des marchands, M. de Flesselles, sortit sur le perron pour tenter d'apaiser les énergumènes qui dansaient derrière les commères. Il fut massacré et la bonne humeur générale s'en trouva accrue. On coupa la tête du prévôt et on la planta sur une autre fourche après en avoir tranché les oreilles « pour rapporter en souvenir aux enfants »... Puis la horde braillarde s'en alla vers Notre-Dame, brandissant toujours les têtes des malheureux Launay et Flesselles. Bientôt, un autre trophée sanglant fut promené par les rues. Restif de la Bretonne nous dit qu'il rencontra des « cannibales » — c'est le mot qu'il emploie — « portant au bout d'un taille-cime (c'est un instrument qui sert à élaguer) les viscères sanglants d'une victime de la fureur, et cet horrible bouquet ne faisait frémir personne ».

Maud était horrifiée :

— C'est épouvantable ! murmura-t-elle. Mais, les « braves gens » dont tu me parlais tout à l'heure, ceux qui venaient chercher des munitions pour lutter contre les brigands ? N'ont-ils pas essayé d'intervenir ?

— Submergés par la canaille et par les hommes du duc d'Orléans, ils ont assisté, épouvantés et impuissants, aux massacres. Quelques hommes assez braves pour se dresser contre la populace l'ont payé de leur vie...

— Qui donc, dit Maud, a eu l'idée étrange de faire de ce 14 juillet sanglant notre fête nationale ?

— Tu devrais t'adresser aux descendants du duc d'Orléans... Mais il y eut mieux, ou pire : un peu plus loin, M. Berthier de Sauvigny, intendant de Paris, fut assassiné à son tour et décapité ; un autre cannibale s'amusa alors à ouvrir la poitrine du malheureux et à lui arracher le cœur.

« — Regardez, un cœur d'aristocrate ! cria-t-il joyeusement.

« Une commère était près de lui. Facétieuse, elle s'empara du "tendre viscère", comme disent les poètes, et le jeta à un homme qui le lui renvoya en riant. Quelqu'un l'attrapa, au vol et, bientôt, tout le monde voulut jouer. Comme le cœur passait alors de main en main, un joyeux drille — il y a toujours un boute-en-train dans les émeutes les plus sanglantes — entonna en clignant de l'œil :

Ah ! il n'est point de fête
Quand le cœur n'en est pas !

« C'était le refrain d'une chanson à la mode. La foule éclata de rire et se mit en marche en sautillant au rythme de la bluette, tout en continuant à jongler avec le cœur de M. de Sauvigny.

« Durant ce divertissement, les mégères continuaient à promener la tête du gouverneur, qu'elles inclinaient en riant lorsqu'une personne, intriguée par le bruit, paraissait à une fenêtre. Tout le monde chantait alors gaiement :

Florimond, Florimond,
Dis bonjour à ta famille !

refrain d'une autre chanson en vogue à cette époque. La Révolution commençait et montrait ce qu'elle allait être au long des cinq années suivantes : une kermesse sanglante.

— Et pendant ce temps, que se passait-il à la Bastille ?

— Les émeutiers pénétrèrent dans la place qui ne se défendit pas. Car, contrairement à la légende, la Bastille ne fut pas prise : elle se rendit. Dès que les portes furent ouvertes la foule se rua à l'intérieur et découvrit les prisonniers. Ils étaient au nombre de sept.

— Seulement sept ?

— Oui, sept ! Quatre faussaires qui avaient falsifié des lettres de change, un libertin incarcéré à la demande de sa famille, et deux fous qui, le lendemain, furent conduits à Charenton... Tous furent promenés dans Paris sous les applaudissements de la foule. Cependant, les « vainqueurs » de la Bastille fouillaient la forteresse et découvraient avec horreur des

« instruments de torture » dont l'aspect fit travailler leur imagination. C'est ainsi qu'ils notèrent dans leur rapport : *Trouvé un corselet de fer inventé pour retenir un homme par toutes les articulations et le fixer dans une immobilité éternelle.* Il s'agissait en réalité d'une armure de chevalier du Moyen Âge tirée du magasin d'armes anciennes... On trouva également une mystérieuse machine dont personne ne put deviner l'usage précis, mais dont les auteurs du rapport suggérèrent qu'elle devait « être utilisée pour écarteler certains condamnés »...

— De quoi s'agissait-il ?

— Il s'agissait, en fait, d'une imprimerie clandestine saisie en 1786 et reléguée dans un coin de cave... Puis les « vainqueurs » allèrent fêter leur victoire dans les cafés du Palais-Royal. Deux d'entre eux s'installèrent à un entresol pour y dîner. *Comme nous y mettons des fleurs*, nous dit Funck-Brentano, *ils avaient placé sur la table une tête coupée et des entrailles sanglantes. D'en bas, la foule les leur réclama, et hop ! attrape ! ils les lancèrent par la fenêtre.*

« Une belle journée de notre histoire s'achevait...

Maud était songeuse :

— Tout bien réfléchi, me dit-elle, je ne crois pas que j'irai danser au prochain 14 Juillet.

Elle se leva, sortit du bureau et revint presque aussitôt :

— Dis-moi... Je pense brusquement à quelque chose : est-ce qu'il existe des descendants du « patriote » Palloy ?

— Je ne sais pas. Pourquoi ?

— Parce qu'on pourrait peut-être leur suggérer de s'intéresser à l'Opéra-Bastille...

SOURCES

Le patriote PALLOY : *Livre de raison*, publié par Romi, Éd. de Paris.

Chancelier PASQUIER : *Mémoires*, tome I, Éd. Plon, 1914.

LINGUET : *Mémoires*, Bibliothèque des Mémoires relatifs à l'Histoire de France pendant le XVIIIe siècle, Éd. Firmin Didot, 1866.

LATUDE : *Mémoires* (même collection), 1866.

Frantz FUNCK-BRENTANO : *Légendes et archives de la Bastille*, Éd. Hachette, 1904.

Gerhard PRAUSE : « Il n'y a pas eu de prise de la Bastille », dans *Les légendes qui ont forgé l'Histoire*, Éd. Presses de la Cité, 1966.

10

LA BATAILLE DE VALMY N'A PAS EU LIEU

Où l'on voit paraître un fantôme couronné

Maud entra dans mon bureau, l'air perplexe :

— Tu les connais, toi, les « événements cultes » de la Révolution française ?

Ce genre d'expression a le don de me mettre en joie. J'éclatai de rire.

— Les « événements cultes » de la Révolution, non... Je connaissais jusqu'à maintenant les « films cultes », les « chansons cultes », les « lieux cultes », mais les « événements cultes », non... De quoi s'agit-il ?

— Attends, j'ai noté : il y a la prise de la Bastille, la mort du petit Bara et la bataille de Valmy...

— Je vois ! Il s'agit de ces faits mis en vedette dans les manuels d'Histoire et qui sont, dans le meilleur des cas, considérablement magnifiés, dans le pire simplement faux.

— Quoi ? La bataille de Valmy, par exemple ?

— Elle n'a pas eu lieu.

— Ce n'est pas possible, c'est une « bataille culte » !

— C'est pourtant la vérité.

— Raconte-moi...

— Assieds-toi, car c'est une histoire pleine de rebondissements... D'après des personnages dignes de foi, la pseudo-bataille aurait été gagnée, non pas par le génie militaire de Dumouriez et de Kellermann, mais peut-être par un fantôme.

— Un fantôme ? Je t'écoute !

— Avant d'en arriver au fantôme, permets-moi de te lire ce petit texte que je trouve dans un manuel scolaire : « Le 20 septembre 1792 est l'une des plus importantes dates de l'Histoire de France. C'est ce jour-là qu'à Valmy les jeunes armées de la République, pourtant mal équipées, mal nourries, mais animées d'une extraordinaire flamme patriotique, remportèrent leur première victoire sur les Autrichiens et les Prussiens. Deux généraux, dont les noms devraient être gravés dans la mémoire de tous les petits Français, les commandaient : Dumouriez et Kellermann. Par leur génie militaire, ils écrasèrent l'armée des coalisés, commandée par le roi Frédéric-Guillaume de Prusse et le duc de Brunswick. Ce combat épique, digne de l'antique, que l'on compara à la bataille des Thermopyles, terrorisa l'ennemi et émerveilla l'Europe. Valmy fut la première réponse que la grande République fit aux provocations insensées de la coalition. Les ennemis avaient envahi la France en vainqueurs ; ils s'en retournaient en mendiants... »

« Voilà ce que l'on apprend aux écoliers. En fait, ce "combat épique et digne de l'antique", qui se borna à quelques échanges de boulets et fit très peu de victimes, fut assez étrange : le 20 septembre 1792 vers 9 heures, par un matin gris et pluvieux, les armées prussiennes, commandées par le roi Frédéric-Guillaume et le duc de Brunswick, se trouvèrent face aux troupes françaises sur le plateau de Valmy, en Argonne.

— Au pied d'un moulin...

— Exactement.

— Je connais car c'est un « monument culte ».

— Je m'en doutais... Alors, au pied de ce « moulin culte », il y a le roi de Prusse avec 160 000 hommes, et les généraux Dumouriez et Kellermann, qui n'en ont que 95 000... Les Prussiens sont entraînés, organisés, disciplinés, alors que les Français, des conscrits, des va-nu-pieds mal équipés, n'ont aucune habitude de la guerre et avancent dans le plus grand désordre. Les Prussiens peuvent, quand ils le voudront, marcher sur Paris. Les Français, qui manquent de vivres, eux, sont découragés. La bataille commence. Les deux armées s'envoient d'abord quelques dizaines de boulets, puis les Prussiens attaquent. Les Français les attendent, immobiles, prêts à charger à la baïonnette. Tout à coup Kellermann pique son chapeau au bout de son épée et le brandit en criant : « Vive la Nation ! », cri que toute l'armée française répète aussitôt avec enthousiasme... Il se passe alors quelque chose d'extraordinaire : les Prussiens, qui avançaient en rangs serrés, sûrs d'eux-mêmes, sûrs de vaincre, s'arrêtent soudain, font volte-face et se replient.

« La bataille de Valmy, ta "bataille culte", est terminée.

— Mais alors, il n'y a pas eu de combats ?

— Aucun... Dès lors, une question se pose : pourquoi le roi de Prusse a-t-il retiré ses troupes avant qu'elles n'abordent les lignes françaises ? Pourquoi n'a-t-il pas attaqué alors qu'il avait toutes les chances d'écraser les armées de la République ? Cela demeure un mystère,

Napoléon lui-même déclarait que cette retraite inopinée de Frédéric-Guillaume était pour lui un problème sans solution...

« Certains historiens, qui se sont penchés sur cette énigme, ont expliqué que les soldats prussiens étaient atteints de dysenterie pour avoir mangé trop de raisins verts, ce qui les rendait incapables de combattre. D'autres ont rappelé que Dumouriez et Brunswick étaient tous les deux francs-maçons et qu'un arrangement avait peut-être eu lieu entre eux quelques jours auparavant... D'autres encore ont accusé Danton d'avoir, comme le feront plus tard des directeurs de clubs sportifs, "acheté" Brunswick pour qu'il "perde le match"... Il lui aurait donné des diamants volés quelques jours avant le 20 septembre au Garde-Meuble national... et volés sur son ordre, ajoutent-ils. Ce dont Danton, avec sa filouterie bien connue et son "audace" légendaire, était bien capable...

— Mais tu m'avais annoncé un fantôme ?

— J'y arrive... Ce fantôme apparaît dans un étrange récit publié en 1839 — c'est-à-dire quarante-sept ans après Valmy — par le *Journal des villes et des campagnes*, feuille très répandue sous le règne de Louis-Philippe. À en croire l'auteur, le roi de Prusse aurait vécu, quelques jours avant Valmy, une curieuse aventure qui expliquerait l'extraordinaire dérobade des troupes prussiennes. Cela se serait passé le 15 ou le 16 septembre. Ce jour-là les Prussiens, sûrs de leur victoire prochaine, donnent à Verdun une soirée de gala présidée par Frédéric-Guillaume ; soirée où se trouvent mêlés les officiers de Brunswick et les émigrés français qui espèrent la défaite des armées de la République. Dans une atmosphère de liesse, les invités lèvent leur coupe de champagne et portent des toasts au triomphe des troupes prussiennes, à la libération de la famille royale prisonnière au Temple et à la ruine des jacobins. Soudain, un homme vêtu de noir s'approche respectueusement du roi de Prusse et lui parle à l'oreille. Le souverain sursaute. Il vient d'entendre une phrase qu'il connaît bien : le mot de passe des Rose-Croix. Il est, en effet, affilié à cette secte depuis longtemps et y occupe même un très haut grade.

« — Sire, Votre Majesté veut-elle me suivre ? ajoute le mystérieux personnage à l'oreille de Frédéric-Guillaume.

« Sans demander d'explication, le roi de Prusse prend congé de ses invités et obéit. L'inconnu l'entraîne alors dans un escalier qui les conduit au sous-sol. Là, ils pénètrent dans une salle tendue de drap noir qu'éclairent des torches fixées sur des trépieds funéraires. Le roi, qui croit aux revenants et à la sorcellerie, est très impressionné.

« — Que Votre Majesté daigne m'attendre ici et ne bouge pas, murmure son guide, qui disparaît derrière une draperie.

« Seul dans cette pièce sinistre, Frédéric-Guillaume a soudain peur. Ne s'agit-il pas d'un guet-apens ? Ne veut-on pas l'assassiner ? N'a-t-il pas trahi sans le vouloir un secret de l'ordre ? Il attend un moment en tremblant. Le silence l'écrase. Tout à coup, des craquements se font entendre derrière les tentures funèbres. Épouvanté, il fait un pas vers l'escalier. Mais une voix blanche, une voix d'outre-tombe le fige sur place :

« — Arrête ! Ne sors pas d'ici sans m'avoir écouté !

« Les draperies s'écartent et, à la lueur des flambeaux, le roi voit apparaître le spectre de son oncle, le grand Frédéric de Prusse... Il le reconnaît tout de suite. C'est bien le souverain philosophe, protecteur de Voltaire, avec sa face maigre, son profil mince, ses épaules voûtées, ses yeux vifs, son visage mal rasé et même — et ce détail le frappe — son nez barbouillé de tabac. Il porte sa légendaire redingote silésienne, son bicorne, et s'appuie sur sa canne comme autrefois... Glacé d'effroi, Frédéric-Guillaume le voit s'approcher à petits pas. Le fantôme du grand Frédéric s'arrête devant lui et le regarde fixement :

« — Tu me reconnais ? dit-il.

« Frédéric-Guillaume, incapable de prononcer un mot, fait un petit signe affirmatif de la tête.

« — Quand tu ramenas de Bavière à Breslau le corps de troupe que je t'avais confié, je t'ai serré dans mes bras et je t'ai dit : "Tu es plus que mon neveu, tu es mon fils ! C'est toi qui hériteras ma puissance et ma gloire !" Eh bien, je viens réclamer de toi aujourd'hui une obéissance filiale. Je viens te répéter les paroles que Charles VI entendit dans la forêt du Mans : "Ne chevauche pas plus avant, tu es trahi !"

« Et le spectre de Frédéric explique longuement au roi de Prusse que les royalistes émigrés entraînent les armées prussiennes dans une dangereuse aventure, que les Français ne pourront supporter qu'un peuple étranger se mêle de leurs affaires — même ceux qui espèrent le retour à l'Ancien Régime —, et que, s'il continue à marcher sur Paris, ce ne seront plus 95 000 hommes qui se dresseront devant les régiments de Brunswick, mais la France tout entière.

« — Je te le répète, ajoute le spectre, arrête tes troupes ; ne va pas plus avant !

« Après quoi, ayant fait un petit salut, il disparaît dans les tentures. Dès qu'il est seul, le roi de Prusse, couvert de sueur, se précipite dans l'escalier et regagne son appartement.

« Le lendemain, les troupes prussiennes, qui devaient se mettre en route vers Paris, reçurent contrordre et demeurèrent sur place. Puis ce fut Valmy, où le roi de Prusse arrêta l'assaut de ses troupes, à la stupéfaction générale. Enfin, on apprit qu'au lieu d'avancer vers l'intérieur de la France, comme le fameux manifeste de Brunswick en avait annoncé la résolution, les Prussiens pliaient bagage et retournaient vers la frontière.

— Quelle histoire ! Et tu crois, toi, à cette apparition d'un fantôme ?

— Je pense que l'aventure qu'a vécue le roi de Prusse est vraie, mais que le fantôme qu'il a vu, lui, était faux... Je m'explique : je pense que Frédéric-Guillaume a été victime d'une machination qui a parfaitement réussi. On connaissait son goût pour l'occultisme et la magie, on le savait crédule, impressionnable. Rien n'était donc plus facile que de le tromper.

— Et il n'aurait pas eu le moindre soupçon devant ce décor, ces draps noirs, ces flambeaux ?

— Mais non. Il était habitué à la mise en scène funèbre des loges maçonniques de son époque. Et puis, il faut se souvenir que l'Allemagne traversait alors une extraordinaire crise mystique et philosophique. Les sociétés secrètes y pullulaient. La plupart des aristocrates appartenaient à des sectes d'illuminés. Ils étaient prêts à tout croire, à tout accepter. Et Frédéric-Guillaume plus que les autres. C'était un homme timoré, rêveur, membre des Rose-Croix, qui croyait aux revenants et n'entreprenait rien sans avoir consulté les augures.

— C'était, en effet, la victime idéale pour ce genre de machination. Malheureusement, on ne saura jamais qui a joué le rôle du fantôme.

— Eh bien, peut-être que si. Et grâce à Beaumarchais. Voici pourquoi : un jour, vers le milieu de septembre 1792, Beaumarchais alla rendre visite à son ami, le célèbre comédien Fleury, qui avait joué dans *Le Mariage de Figaro*. Fleury n'était pas chez lui. Une fillette lui expliqua qu'il était parti à la campagne.

« — Sera-t-il rentré demain ? demanda Beaumarchais.

« — Oh non ! il est absent pour huit jours au moins. Il est allé à Verdun.

« Beaumarchais rentra chez lui très étonné. Que pouvait aller faire ce comédien à Verdun, où se trouvaient les armées prussiennes et où le roi de Prusse avait établi son quartier général ? Quelques semaines plus tard, Beaumarchais rencontra Fleury :

« — Que faisiez-vous donc à Verdun ?

« À sa grande stupéfaction, le comédien, l'air embarrassé, affirma qu'il n'avait pas quitté Paris. Alors Beaumarchais parla de la petite fille.

« — C'est une erreur, dit Fleury, qui changea de sujet de conversation.

« Par la suite, dix fois, vingt fois, cent fois Beaumarchais revint à la charge. Jamais il ne put rien tirer de Fleury, qui éludait les questions en souriant. Finalement, il en conclut que le voyage de Fleury à Verdun devait rester secret pour de mystérieuses raisons.

— Ce Fleury serait donc allé jouer les fantômes à Verdun ?

— C'est fort possible !

— Mais, pour réussir à abuser le roi de Prusse, il aurait fallu qu'il étudie le personnage de Frédéric le Grand...

— Il n'en aurait pas eu besoin. Quelques années avant la Révolution, il avait tenu avec succès le rôle de Frédéric de Prusse au Théâtre-Français. Et non content de se grimer à la ressemblance du monarque, de copier sa démarche et d'imiter sa voix, il s'était procuré un de ses vieux habits, son gilet, ses bottes et son chapeau. Et tout Paris avait parlé de sa composition saisissante de vérité. Il avait donc tout pour abuser Frédéric-Guillaume. En outre, il parlait allemand.

— Tout cela est troublant, en effet ; mais qui aurait monté cette extraordinaire mise en scène ?

— On suppose qu'il s'agirait d'un conventionnel qui, peu sûr des soldats de Brunswick, avait eu l'idée d'un subterfuge pour que nos armées remportent une victoire éclatante, une victoire qui reste dans les annales et auréole de gloire la République naissante... Certains historiens ont pensé à Danton, mais Danton n'était pas assez fin pour imaginer une machination de ce genre. L'historien Lenotre, qui s'est penché sur cette histoire, suggère qu'il pourrait s'agir de Fabre d'Églantine, qui était, comme tu le sais, à la fois conventionnel et homme de théâtre... C'est très vraisemblable. Fabre avait vu Fleury dans le rôle du grand Frédéric et, connaissant l'esprit faible du roi de Prusse, il a pu imaginer sans peine cette scène grand-guignolesque...

— Encore une question. Tu m'as dit que l'histoire du fantôme avait été publiée en 1839 dans le *Journal des villes et des campagnes.* C'est donc à ce moment-là qu'on a pu faire le rapprochement avec le voyage de Fleury à Verdun ?

— Exactement !

— Excuse-moi de chercher la petite bête, mais à cette date, Beaumarchais était mort depuis longtemps ?

— C'est vrai, il est mort en 1799.

— Alors, qui a pu faire ce rapprochement ?

— Un de ses amis, l'abbé Sabattier, avec qui l'auteur du *Mariage de Figaro* s'était entretenu très souvent du mystérieux voyage de Fleury à Verdun, en septembre 1792. J'ajoute que, si tous les détails de cette affaire ne furent connus qu'en 1839, le bruit d'une curieuse « apparition » du grand Frédéric à Frédéric-Guillaume avait filtré dès après la « bataille » de Valmy.

— Qui donc aurait été au courant de cette apparition ?

— Le ministre prussien Bischoffswerder, à qui Frédéric-Guillaume, terrorisé, s'était confié immédiatement et qui rapporta les propos tenus par le pseudo-fantôme.

— Cette histoire abracadabrante nous donnerait donc l'explication de la reculade des troupes prussiennes à Valmy ?

— Peut-être... Quoi qu'il en soit, une certitude demeure : la « bataille culte » ne fut, pour reprendre le mot d'un participant, qu'une « simple pétarade ». Et Goethe, qui était présent, écrira plus tard — résumant admirablement l'événement : « Ce fut comme si rien ne s'était passé. »

SOURCES

G. LENOTRE : « La victoire de Valmy est-elle due à un fantôme ? » *Journal des Villes et des Campagnes*, 1839.

Bernard L. BOISANTAIS : *La bataille de Valmy n'a pas eu lieu*, Éd. France-Empire.

GOETHE : *Campagne de France*.

MASSENBACH : *Mémoires*.

Robert CHRISTOPHE : « Les bijoux de la Couronne ont-ils permis de remporter la victoire de Valmy ? » dans *Histoire pour tous*, mars 1966.

Jacques DUPAQUIER : « Valmy, une imposture », *Figaro*, 20 septembre 1996.

Jean GALTIER-BOISSIÈRE : « Valmy, victoire postfabriquée », *Le Crapouillot*, « Énigmes et Impostures », n° 4, juillet 1958.

Cyrille RAFALOVITCH : « Valmy, une victoire surprenante », *Historama*, hors série n° 47 (« Énigmes et mystifications de l'Histoire »).

Roger DUFRAISSE : « La démocratie en armes », *Historia*, « Les fausses réputations de l'Histoire ».

Joseph SANTO : « La farce de Valmy », dans *Histoire falsifiée, vérité rétablie*.

11

LA NAISSANCE DE LA MARSEILLAISE

*Où l'on voit que la fameuse « nuit d'inspiration »
de Rouget de Lisle n'est qu'une faribole...*

Maud, plongée dans une revue littéraire, lisait un article sur « Les grands moments de l'Histoire de France ».

— Il y a vraiment des hommes qui sont touchés par la grâce ! me dit-elle brusquement.

— À qui penses-tu ?

— À Rouget de Lisle. Je viens de lire le récit de la fameuse nuit de Strasbourg où, d'une traite, dans un moment d'exaltation patriotique, il composa les paroles et la musique de *La Marseillaise*... Cela donne le frisson !

Je m'approchai d'elle :

— Je t'adore...

— J'ai encore dit une bêtise ?

— Pas du tout, mais ta candeur me touche...

— Je sens que tu vas « entamer mon enthousiasme », comme dit ton ami Yvan Audouard.

— Je t'en demande pardon à l'avance.

— Raconte-moi tout d'abord qui était ce Rouget de Lisle. Un terrible « va-t-en-guerre » ?

— Pas du tout ! C'était un garçon très doux, un rêveur dont l'idéal eût été de vivre en paix dans sa maison jurassienne de Montaigu, avec une femme aimante, des enfants qui eussent été les siens avant d'être ceux de la Patrie, et quelques amis pour boire le vin de ses vignes... Bref, une existence heureuse et sans histoires dont personne, sans doute, n'eût entendu parler. Hélas ! nous dit Nodier, « Joseph — c'était son prénom — avait été marqué par un destin contraire ». Il n'eut, en effet, jamais de chance. Tout commença le jour de sa naissance, le 10 mai 1760. Sa mère faisait des courses dans Lons-le-Saunier lorsqu'elle fut prise de douleurs et il naquit sur le trottoir.

— Pauvre petit !

— Puis il grandit. Mais il grandit de travers.

— De travers ?

— Oui, car il avait une épaule plus haute que l'autre. Il faut dire qu'il était bossu. Tare que ses biographes expliquent par une chute qu'il aurait faite de la fenêtre d'un grenier à foin à l'âge de cinq ans. L'histoire est fort vraisemblable, mais elle paraît suspecte lorsque l'on sait que le père de Joseph, sa mère, ses quatre frères et ses deux sœurs étaient également bossus...

— Oui, tu as raison, on a du mal à imaginer tous les membres de cette famille tombant à tour de rôle d'un grenier à foin !

— Or le destin est malicieux. Sais-tu quel autre grand homme est né à Lons-le-Saunier, un an avant ce célèbre bossu ?

— Non...

— Le général Lecourbe !

— On n'en sort pas.

— À seize ans, alors que Joseph, qui commençait à rimailler, rêvait de passer sa vie à écrire des élégies douceâtres et pleurnichardes sur des amours impossibles, son père, avocat du roi au Parlement, décida de le faire entrer à l'École militaire. Le choix posait un problème, cet établissement étant, à l'époque, réservé aux gentilshommes. M. Rouget dut chercher une solution. Comme il était ingénieux, il la trouva. Elle était simple : il s'anoblit.

— Par quel procédé ?

— En employant un moyen communément utilisé par les roturiers en mal de particule : il ajouta à son nom celui d'une terre qu'il possédait à quelques lieues de Lons-le-Saunier. Cette terre s'appelait l'Isle : il devint donc Rouget de l'Isle. Plus tard, il supprima l'apostrophe. Et c'est sous ce nom que le poète entra à l'École militaire.

« Pendant son séjour à Paris, il arriva au futur auteur de *La Marseillaise* une aventure qui montre encore une fois la malice du destin. Joseph allait visiter régulièrement une de ses cousines qui était dame d'honneur à Versailles. Or, un jour que tous deux bavardaient dans la chambre de la jeune femme, on frappa à la porte : c'était la reine. Rouget de Lisle n'eut que le temps de bondir dans l'alcôve et de disparaître derrière un rideau. Marie-Antoinette entrait avec quelques dames de sa suite. Pendant un quart d'heure, tout le monde papota de robes et de chiffons, et le pauvre Rouget de Lisle, qui commençait à s'ankyloser, esquissa un mouvement qui fit craquer le plancher. Intriguée, la reine tira la tenture, découvrit ce militaire et fronça les sourcils :

« — Que faites-vous ici, monsieur ?

« La dame d'honneur expliqua qu'il s'agissait d'un cousin un peu timide et Marie-Antoinette éclata de rire. Alors Joseph regarda la reine, cette reine de vingt et un ans qu'il n'avait encore jamais approchée, et fut ébloui par son charme. Sur-le-champ il se jura de lui être à jamais fidèle. Comment aurait-il pu deviner qu'un jour, il aiderait, par une chanson, à faire trancher le cou de cette jolie souveraine dont il venait de tomber amoureux ?

« À l'École militaire, peu attiré par le métier des armes, il passa son temps à écrire des vers bucoliques dans lesquels il n'était question que de bergers soufflant dans des chalumeaux, ce qui le conduisit naturellement à soupirer bientôt pour une jeune fille. L'élue, comme disent les auteurs de romans populaires, était une charmante demoiselle de dix-huit ans qui s'appelait Camille et habitait Courbevoie. Ils se fiancèrent un jour de juillet 1780. Pour la circonstance, Joseph voulut tirer un feu d'artifice. Hélas ! la malchance le poursuivit là encore : la première fusée qu'il fit partir retomba exactement sur la tête de sa fiancée, qui fut tuée net... Drame qui faillit faire perdre la raison au malheureux Joseph.

« Deux ans plus tard, il entrait à l'École d'application du génie, à Mézières, où le destin, toujours malicieux, lui donna comme professeur de mathématiques un certain abbé Bossut.

— Je ne te crois pas, dit Maud en riant. C'est trop beau pour être vrai !

— Tu penses bien que je n'irais pas inventer cela !

— Comment accueillit-il la Révolution ?

— Avec un intérêt poli. Il était à ce moment en garnison près de Grenoble, à Mont-Dauphin. Il fréquenta quelques clubs, écouta des discours, puis se fit mettre en congé et partit pour Paris. Peut-être penses-tu qu'il voulait participer aux événements politiques et vivre intensément les grandes journées révolutionnaires ? Pas du tout. Il s'enferma dans une chambre et, complètement indifférent à la tourmente qui secouait la France, il se consacra à l'écriture d'une féerie en trois actes intitulée *Almanzor et Féline*, puis d'une comédie dédiée à... la famille royale. Le temps n'était pas encore venu d'appeler les citoyens à former des bataillons...

— Ses pièces furent-elles jouées, au moins ?

— Une seule. Elle n'eut que deux représentations... Alors, déçu, amer, Rouget retourna dans l'armée à la fin de son congé. Bientôt, il fut envoyé en garnison à Strasbourg. C'est là que nous le retrouvons au printemps de 1792.

Il est maintenant capitaine. Toujours aussi peu séduit par l'état militaire, il passe son temps à composer des romances sur les jonquilles et les pâquerettes.

« Mais le 25 avril, une grande nouvelle arrive à Strasbourg : Louis XVI, poussé par l'Assemblée, a déclaré la guerre à l'Autriche. Aussitôt la ville est en fête. On pavoise, on organise des cortèges et le maire, le baron Dietrich, fait des discours enflammés. Le soir, il réunit à sa table plusieurs officiers de ses amis qui doivent rejoindre leurs régiments le lendemain. Parmi eux se trouve Rouget de Lisle. Le repas est joyeux, le vin du Rhin coule allégrement. Tout le monde, même Mme Dietrich et ses charmantes demoiselles, parle de la guerre avec enthousiasme. Soudain, par la fenêtre entrouverte — la nuit de printemps est douce —, des cris et des chansons parviennent dans la salle à manger. Ce sont les premières troupes qui quittent la ville, accompagnées d'une foule fort excitée braillant le *Ça ira*. Dietrich se lève, furieux :

« — Fermez les fenêtres ! dit-il, que je n'entende pas ces chants ignobles qui viennent de Paris ! J'en ai plein les oreilles !

« Puis il se tourne vers Rouget de Lisle :

« — Mon cher capitaine, vous qui taquinez la muse, vous devriez bien nous trousser quelques couplets dignes de notre belle Révolution !

« Rouget de Lisle rougit, assure en bredouillant qu'il ne se sent pas du tout capable de composer des hymnes nationaux. Tout le monde proteste et lui rappelle *L'Hymne à la Liberté* qu'il a fait chanter le 14 juillet 1791, sur une musique de son ami Ignace Pleyel. Mais il a beau dire que, pour composer cette cantate, il a sué sang et eau, que sa spécialité est plutôt la romance et ses héros favoris des bergers soufflant dans des pipeaux, on ne veut pas l'entendre.

« — Vous serez notre Tyrtée ! clame un convive, imitant le style oratoire des hommes de la Révolution.

« Finalement, le maire fait apporter de nouvelles bouteilles de vin d'Alsace que l'on vide aux cris de "Vive notre Tyrtée !". Rouget de Lisle, vaincu — et un peu gris — promet alors d'écrire un chant de circonstance. Acclamé, il s'en va en titubant et rentre chez lui.

— Cela commence bien !

— Tout en marchant, il cherche un début. Or, dans la rue de la Mésange où il habite, il avise, à la lueur d'une chandelle, une affiche que la Société des amis de la Constitution a fait apposer le matin même. Les premiers mots le frappent. Et tu vas voir qu'il ne perd pas son temps...

J'allai vers un placard dont je tirai un dossier.

— Cette affiche, la voici !

« *Aux armes, citoyens ! L'étendard de la guerre est déployé ; le signal est donné. Aux armes ! Il faut combattre, vaincre ou mourir.*

« *Aux armes, citoyens ! Si nous persistons à être libres, toutes les puissances d'Europe verront échouer leurs sinistres complots. Qu'ils tremblent donc, ces despotes couronnés !*

« *L'éclat de la liberté luira pour tous les hommes. Vous vous montrerez dignes enfants de la liberté. Courez à la victoire, dissipez les armées des despotes !*

« *Immolez sans remords les traîtres, les rebelles qui, armés contre la patrie, ne veulent y entrer que pour faire couler le sang de nos compatriotes !*

« *Marchons ! Soyons libres jusqu'au dernier soupir et que nos vœux soient constamment pour la félicité de la patrie et le bonheur de tout le genre humain.*

« Bref, c'est une sorte de *Marseillaise* en prose !

« Rentré chez lui, Rouget de Lisle se met aussitôt au travail, utilisant sans aucun scrupule des phrases entières de l'affiche. Quand, parfois, l'inspiration lui fait défaut, il ouvre un petit livre de poèmes qui contient une ode de Boileau intitulée *Sur un bruit qui courut en 1656 que Cromwell et les Anglais allaient faire la guerre à la France*. Il y puise des mots, des rimes, des images, et la fin de la dernière strophe lui fournit une chute saisissante pour son refrain :

> *Et leurs corps pourris dans nos plaines*
> *N'ont fait qu'engraisser nos sillons...*

— Et le passage concernant les *féroces soldats qui viennent jusque dans nos bras égorger nos fils et nos compagnes*, passage qui ne figure pas dans l'affiche, où l'a-t-il trouvé ? Dans Boileau également ?

— Non. Dans une chanson protestante sur la conjuration des princes du sang. Chanson dont un couplet a pour sujet *les féroces étrangers qui ravissent d'entre nos bras nos femmes et nos pauvres enfants*, et qu'il utilisa sans sourciller...

— Il y a tout de même une phrase géniale dans *La Marseillaise*, et qu'on ne trouve pas non plus dans l'affiche. C'est la phrase de départ : *Allons, enfants de la patrie !*

— Tu as raison ; mais quand on sait qu'à l'époque les bataillons avaient des noms et que celui de Rouget de Lisle s'appelait les « Enfants de la patrie », on est moins enclin à s'émerveiller. Car, pensant à ses camarades, il a tout naturellement écrit : *Allons, enfants de la patrie...* C'était le nom de son bataillon.

— Somme toute, il reste un mot dont on est sûr qu'il est bien de Rouget de Lisle, c'est *Allons !*

— Si tu veux... Bref, au petit matin, cette chanson — ou plutôt cet assemblage de morceaux pris ici et là — était terminée. Rouget de Lisle, épuisé, se coucha, dormit quelques heures, puis courut chez Dietrich pour lui présenter son œuvre. Enthousiasmé, le maire convia immédiatement tous ses invités de la veille afin qu'ils puissent entendre sans tarder le *Chant de guerre pour l'armée du Rhin...* C'était le titre que Rouget de Lisle avait donné à son patchwork.

— Je connais la scène, dit Maud. Elle a été immortalisée par le fameux tableau de Pils, qui était reproduit dans mon livre d'Histoire.

— Excuse-moi de détériorer tes souvenirs d'enfance, mais ce tableau ne correspond pas non plus à la réalité. On y voit Rouget de Lisle chantant, alors que c'est le baron Dietrich, doué d'une fort belle voix de ténor, qui, le premier, interpréta le *Chant de guerre*. Quant à Mme Dietrich, que Pils a représentée jouant du clavecin, elle se contenta d'écouter puisque l'accompagnement fut exécuté par Rouget de Lisle... sur un violon !

— Décidément, nos manuels d'Histoire ont toujours été remplis d'erreurs... Et comment ce *Chant de guerre pour l'armée du Rhin* devint-il *La Marseillaise* ?

— Grâce à des voyageurs de commerce. Je vais t'expliquer : quelques jours après l'audition chez Dietrich, le chant de Rouget de Lisle fut imprimé, distribué à tous les régiments qui partaient combattre et vendu au public. Des voyageurs de commerce qui s'en allaient à la foire de Beaucaire l'achetèrent, l'emportèrent dans leurs bagages et le firent connaître en Provence. Il arriva ainsi à Montpellier, puis sur le Vieux-Port de Marseille. Les fédérés marseillais qui s'apprêtaient à monter à Paris s'en emparèrent avec enthousiasme et prirent la route du nord en le braillant comme des forcenés. Arrivés dans la capitale, ils le hurlaient toujours, à tel point que les Parisiens crurent que ce chant qu'ils ignoraient était né sur la

Canebière, et le baptisèrent l'*Hymne des Marseillais*, avant de lui donner son nom définitif.

— Rouget de Lisle ne protesta pas ?

— Non, pour la bonne raison qu'il ignorait que son hymne — qu'il croyait connu seulement à Strasbourg — était en train d'enflammer toute la France. Aussi fut-il très étonné de recevoir de sa mère une lettre sévère dont voici un extrait : *Quel est donc ce chant devenu très populaire, mais que l'on regrette d'entendre chanter par une bande hideuse de galériens ? On m'apprend que vous êtes l'auteur de ce chant. Vous me rassurerez, j'espère, sur ce bruit fâcheusement répandu...*

« Rouget de Lisle se renseigna et dut se rendre à l'évidence : les couplets qu'il avait composés dans un moment...

— ... d'ébriété.

— Disons... d'euphorie... poussaient les citoyens au massacre, donnaient du cœur aux bourreaux et transformaient en fêtes sanguinaires les exécutions sur la guillotine... Lui qui était pacifiste et n'aimait rien tant que célébrer des bergers...

— ... Soufflant dans des pipeaux, je sais.

— ... il fut atterré ! Dès lors, *La Marseillaise* participa à tous les combats, à toutes les cérémonies, à toutes les festivités, et devint *l'Air chéri*. On la chanta à l'Opéra, dans les églises, et même dans les prisons.

— Dans les prisons ? Je croyais que l'on n'y mettait que les antirévolutionnaires ?

— Pas toujours. Je te propose d'imaginer une petite scène.

— Je suis prête.

— Suis-moi bien : le décor représente un cachot. Dans un coin, un homme est assis sur un tabouret. Il est triste. Soudain, il se met à fredonner *Liberté, liberté chérie*. Un second détenu — visiblement un aristocrate — s'approche alors et lui dit :

« — Comment, mon ami, vous chantez *La Marseillaise*, l'hymne des brigands ? Vous êtes donc républicain. Que faites-vous en prison ?

« L'autre hausse les épaules :

« — Aujourd'hui, citoyen, tout le monde est suspect. Veux-tu un exemple ? Tu connais le baron Dietrich ? Celui qui, justement, inspira *La Marseillaise* ? Eh bien, il a été guillotiné il y a deux mois. Et le maréchal Luckner, à qui elle a été dédiée ? Il a été guillotiné hier. Alors moi, je ne suis pas tranquille...

« — Pourquoi ?

« — Parce que moi, je suis Rouget de Lisle !

— Quoi ? dit Maud.

— Eh oui, alors que les armées de la République remportaient des victoires en chantant *La Marseillaise*, le malheureux Joseph fut arrêté comme suspect le 18 septembre 1793, sur l'ordre du Comité de salut public, et jeté dans un cachot. Il y demeura pendant toute la Terreur. Sans le 9-Thermidor, il eût été certainement guillotiné.

— Et après la Révolution, que devint-il ?

— Il végéta, composa des chansons qui n'eurent aucun succès, fréquenta le salon de Joséphine de Beauharnais, fut chargé, grâce à elle, d'une mission auprès de la République batave, donna des leçons de violon, puis essaya de se faire engager par Bonaparte en qualité de barde. Le Premier consul, étonné par cette étrange proposition, ne daigna pas lui répondre... Alors, il retourna, pendant la durée de l'Empire, dans son Jura natal, où il produisit un petit vin pétillant en attendant le retour des Bourbons.

— Il ne pensait pas qu'une restauration royaliste entraînerait l'interdiction de sa *Marseillaise* ?

— Si, bien sûr. Et c'est pourquoi il composa, à tout hasard, un autre hymne intitulé *Vive le roi !* qu'il s'empressa d'aller offrir à Louis XVIII.

— Pas bête, le vigneron ! Ainsi, quel que soit le régime, il aurait donc été l'auteur de notre hymne national...

— Hélas ! ni Louis XVIII, ni plus tard Louis-Philippe n'adoptèrent ce chant. Son auteur, bien qu'il n'ait jamais été révolutionnaire, avait trop puissamment contribué au renversement de la monarchie par sa *Marseillaise* pour être en odeur de sainteté chez les descendants de Saint Louis.

— Même chez Louis-Philippe, dont le père, si je ne me trompe, avait voté la mort de Louis XVI ?

— Même chez Louis-Philippe... Celui-ci se contenta de gratifier Rouget de Lisle d'une pension, ce qui n'empêcha pas le malheureux de vivre ses dernières années dans un grand dénuement. Recueilli finalement par des amis qui avaient une maison de campagne à Choisy-le-Roi, il mourut dans ce village le 26 juin 1836. Le jour de son enterrement, les enfants des écoles vinrent autour de sa tombe lui faire l'hommage d'une dernière *Marseillaise*. Mais il était dit que la malchance le poursuivrait jusqu'au bout : ils chantèrent le seul couplet qui n'était pas de lui :

Nous entrerons dans la carrière
Quand nos aînés n'y seront plus.

L'abbé Peyssonneau l'avait composé pendant la Révolution, à moins que ce ne fût un journaliste nommé Du Bois. Les historiens ne sont pas d'accord à ce sujet.

— Est-ce que les paroles de *La Marseillaise* ont été modifiées depuis 1792 ?

— Non. Mis à part deux mots : *Marchons !* *Marchons !* Dans la première version, Rouget de Lisle avait écrit : *Marchez ! Marchez !* N'oublie pas qu'il était officier... Quant aux autres paroles, si elles sont arrivées intactes jusqu'à nous, elles ont subi, en revanche, bien souvent des modifications involontaires et fort savoureuses de la part du public. Ainsi, en 1848, certains citoyens pour qui les mots *abreuve nos sillons* ne représentaient rien d'intelligible, chantaient sans sourciller : *Qu'un sang impur, la brave nati-on.* D'autres, qui avaient compris *la veuve des six lions*, braillaient cette version avec le même enthousiasme...

« Aujourd'hui, bien des passages de *La Marseillaise* demeurent encore obscurs pour de nombreux Français. Je n'en veux pour preuve que cette histoire authentique : un jour, un instituteur demanda à ses élèves quel était, dans l'Histoire, leur personnage préféré. La plupart citèrent Napoléon, Jeanne d'Arc, Jean Bart... Une voix soudain s'éleva :

« — Moi, c'est le soldat Séféro !

« — Qui ? dit l'instituteur. Le soldat Séféro ? Où as-tu trouvé cela ?

« Le gosse répondit :

« — C'est le soldat dont on parle dans *La Marseillaise*. Vous savez bien...

« Et il chanta :

> *Entendez-vous dans les campagnes*
> *Mugir Séféro, ce soldat...*

— Cela me rappelle ce petit garçon qui disait à sa mère : « Maman, chante-moi la chanson de celui qu'a des rousselles... » Bref, on a donc remplacé *Marchez ! Marchez !* par *Marchons ! Marchons !* Et la mélodie nous est-elle parvenue intacte ?

— Non. Les éditeurs ou les chefs d'orchestre ont, au cours des ans, changé, par-ci, par-là, quelques notes.

— La musique que nous chantons n'est donc pas tout à fait celle de Rouget de Lisle ?

— Je peux même te dire qu'il y a de fortes chances pour qu'elle ne soit pas du tout de Rouget de Lisle.

— Pourquoi ?

— Parce que certains musicologues pensent qu'elle a été écrite par quelqu'un d'autre.

— Pourtant, au cours de la fameuse nuit d'inspiration, à Strasbourg, Rouget de Lisle n'a-t-il pas composé à la fois paroles et musique ?

— C'est ce qu'il a raconté le lendemain.

— Il aurait menti ?

— Peut-être.

— Alors, il y a un mystère ?

— Il y a un mystère !

— Raconte !

— Une tradition bien établie dans la famille Pleyel veut que la musique de *La Marseillaise* ait été écrite par l'ancêtre, Ignace, maître de chapelle de la cathédrale de Strasbourg, élève de Haydn et ami de Rouget de Lisle. Ignace Pleyel aurait été présent au dîner chez Dietrich et serait allé, ensuite, avec Joseph, rue de la Mésange, où, les paroles du premier couplet à peine terminées, il aurait composé l'air que nous connaissons.

— D'un seul jet ?

— Oui, d'un seul jet. Mais ne crie pas au génie car cet air est un plagiat pur et simple de la *Marche d'Assuérus*, de l'*Oratorio d'Esther*, écrite avant la Révolution par Lucien Grisons, maître de chapelle de la cathédrale de Saint-Omer. Je te la jouerai tout à l'heure au piano, tu croiras entendre *La Marseillaise*...

Maud éclata de rire :

— Décidément, notre hymne national a été fait de bric et de broc ! Mais, dis-moi, si Pleyel a collaboré à *La Marseillaise*, pourquoi ne l'a-t-il pas signée avec son ami ?

— Parce qu'il était autrichien !

— Il ne manquait plus que cela !

— En outre, il était royaliste. Deux raisons pour que les paroles du *Chant de guerre* ne lui plaisent pas beaucoup. Il aurait donc demandé à Rouget de Lisle que son nom ne soit pas mêlé à cette affaire. Quelques jours plus tard, il quittait d'ailleurs la France pour se réfugier en Angleterre, où il devait rester jusqu'en 1796.

— Et Rouget de Lisle n'a jamais parlé ?

— Jamais !

— Alors, comment connaît-on cette histoire ?

— La famille Pleyel assure que le maître de chapelle, à son retour de Londres, confia son secret à sa femme et à sa fille. Depuis, celui-ci se transmet fidèlement de génération en génération. Lis d'ailleurs cette lettre que m'a adressée Mme Paul Haquet, descendante de Pleyel, à la suite d'un article que j'avais publié dans l'hebdomadaire *Noir et Blanc* :

Cher Monsieur,
Je viens de lire, dans le numéro de Noir et Blanc *du 23 mai, votre article intitulé « Pour*

ne pas se compromettre, Pleyel a signé La Marseillaise... *Rouget de Lisle* ».

Or *je vous dirai que cet article a de bonnes
raisons de m'intéresser grandement car je suis
descendante directe d'Ignace Pleyel par mon
père, et je ne puis qu'approuver tous les détails
que vous donnez dans votre journal concernant
l'origine de* La Marseillaise, *détails que j'ai
entendus maintes fois répéter par mon père, qui
les tenait de sa grand-mère, propre fille de
Pleyel.*

*J'ai déjà entretenu une assez nombreuse cor-
respondance avec différents journalistes, écrivains et musiciens, car je sais trop bien que,
pour la masse, il n'est pas encore établi que
notre hymne national soit l'œuvre de mon aïeul
Ignace Pleyel, par ailleurs très bon compositeur
fort apprécié à son époque.*

Je vous prie d'agréer, cher Monsieur, etc.

Suzanne HAQUET.

— En somme — si la famille Pleyel ne se
trompe pas — notre hymne national aurait été
composé par deux royalistes dont un Autrichien, à partir d'une affiche, d'un poème de
Boileau, d'un chant protestant et d'un oratorio
flamand contant l'histoire d'un roi perse et
d'une jeune fille juive... quelle ratatouille !

— Ce qui explique peut-être pourquoi *La Marseillaise* est écrite en patagon...

— En patagon ?

— Ou en charabia, si tu préfères... As-tu déjà eu la curiosité de lire, au coin du feu, à tête reposée, les couplets de *La Marseillaise* ?

— Non.

— Eh bien, tu t'es privée d'un plaisir savoureux. Prenons le premier, par exemple :

> *Allons, enfants de la patrie,*
> *Le jour de gloire est arrivé ;*
> *Contre nous de la tyrannie*
> *L'étendard sanglant est levé.*

« Est-ce que rien ne te choque ?

— Euh...

— Tu as bien entendu : là où Rouget de Lisle veut dire : « L'étendard sanglant de la tyrannie est levé contre nous », il écrit : « Contre nous de la tyrannie l'étendard sanglant est levé », ce qui est une audacieuse inversion... C'est exactement comme s'il avait dit : « Suivez de chemin votre petit bonhomme... » Tu avoueras qu'il est curieux de trouver une telle tournure dans l'hymne national d'un pays dont l'une des principales qualités est la clarté du langage.

— Je n'avais jamais remarqué cette anomalie dans *La Marseillaise*.

— Il y en a d'autres. Continuons le premier couplet :

> *Entendez-vous dans les campagnes*
> *Mugir ces féroces soldats...*

« Tu as bien entendu : *mugir*... Nous aurions pu penser que ces féroces soldats qui se battent comme des lions poussaient des rugissements. Non ! Rouget de Lisle nous dit qu'ils mugissent. Ce qui, tout compte fait, doit donner à la guerre un petit côté bucolique assez plaisant...

« Mais *La Marseillaise* n'est pas seulement une école de mauvais style et de langage approximatif ; c'est également un texte qui incite à la débauche. Ecoute la suite :

> *Ils viennent jusque dans nos bras*
> *Égorger nos fils, nos compagnes...*

— Et alors ? dit Maud.

— Tu as bien entendu : *nos* compagnes. Ce qui laisse supposer que Rouget de Lisle admet, pour chaque Français, la possibilité d'avoir plusieurs épouses. Comment, dès lors, reprocher à un homme de chez nous d'être bigame ? Aux juges qui voudraient le condamner, il répondra avec logique : « Pardon, j'en ai le droit ; ma situation est officialisée par *La Mar-seillaise* ! » Et il aura raison ! On mesure toute la responsabilité de Rouget de Lisle dans la vague d'immoralité qui submerge notre pays...

— Je te ferai remarquer, dit Maud en riant, que les militaires ont toujours reconnu implicitement la polygamie en France. Ne dit-on pas d'un soldat libéré qu'il est rentré dans *ses* foyers ?

— Sans doute, mais de là à en faire état dans l'hymne national... Passons maintenant au refrain et dis-moi s'il n'est pas de nature à donner de notre pays une image navrante : celle d'une nation particulièrement belliqueuse ou singulièrement froussarde. Que se passe-t-il, en effet, lorsqu'un chef d'État étranger vient nous rendre une visite amicale ? À peine a-t-il posé le pied sur notre sol que nous appelons les citoyens à prendre les armes, à former des bataillons et à marcher sur l'intrus en souhaitant abreuver nos sillons de son sang impur...

— Tu as raison, ce n'est pas le chant idéal pour accueillir des étrangers !

— Il faut reconnaître que ce n'était pas sa destination première. On aurait même bien étonné Rouget de Lisle en lui disant qu'un jour son hymne sanguinaire serait exécuté dans les réceptions officielles... « Exécuté » est d'ailleurs bien souvent le mot qui convient, et cela me rappelle cette phrase de Tristan Bernard parlant d'une revue militaire : « À l'arrivée du président de la République, la fanfare attaqua *La Marseillaise*... qui se défendit bien. »

Maud s'approcha de moi :

— Je reviens à la fameuse nuit d'inspiration géniale décrite dans les manuels d'Histoire... Ce n'est donc qu'un gros mensonge ?

— Exactement !

— Alors il faut corriger les manuels.

— Tu as raison, mais, comme dirait Rouget de Lisle : « Ceci est, de manches, une autre paire. »

SOURCES

Philippe PARÈS : *Qui est l'auteur de La Marseillaise ?* Éd. Minerva, 1974.

Julien TIERSOT : *Histoire de La Marseillaise*, Éd. Delagrave, 1915.

Julien TIERSOT : *Rouget de Lisle, son œuvre, sa vie*, Éd. Delagrave, 1892.

Maurice de LA FUYE et E. GUÉRET : *Rouget de Lisle inconnu*, Éd. Hachette, 1943.

P. CAVARD : *L'Abbé Peyssonneau et La Marseillaise*, Éd. du Syndicat d'initiative de Vienne, 1954.

Jacques CHAILLEY : *La Marseillaise, ses transformations*, 1964.

Arthur LORH : *Le Chant de La Marseillaise, son véritable auteur*, Éd. Palmé, Bruxelles, 1886.

12

LA LÉGENDE DU PETIT BARA
DOIT TOUT À ROBESPIERRE

Où l'on voit comment se fabrique un héros national

— Parmi les « sujets cultes » que je t'ai cités l'autre jour, me dit Maud, il y en a un qui t'a fait glousser, pourquoi ?

— L'histoire du petit Bara ?

— Oui.

— Parce que c'est le type même de la falsification.

— Tu m'étonneras toujours...

— Écoute bien. Je vais te montrer comment on transforme un événement banal, un simple fait divers, en une scène digne de l'antique et propre à émouvoir les foules pendant des siècles... Il y avait en 1792, à Palaiseau, près de Versailles, un garçon de douze ans qui vivait dans une famille pauvre ; son père, garde-chasse, était mort quelques années plus tôt, laissant une veuve et quatre enfants. Ce jeune garçon s'appelait Joseph Bara. Un jour qu'un régiment partant pour la Vendée traversait Palaiseau, il le suivit pour ne plus être à la charge de sa mère. Trop jeune pour être soldat, il rendit de menus services et les officiers l'adoptèrent, l'autorisant même à se nourrir à la cantine. Jamais, en revanche, il ne toucha la moindre solde, bien entendu. Ceci est important pour la suite de l'histoire. Son argent de poche lui était fourni par quelques pillages auxquels il se livrait, comme tous les militaires de cette époque.

« Le 17 brumaire de l'an II (c'est-à-dire le 6 décembre 1793), le jeune Bara, à qui on avait confié la garde de deux chevaux qu'il devait conduire dans un village, près de Cholet, fut soudain entouré par un groupe de Chouans.

« — Donne-nous tes chevaux !

« — Non !

« Les Vendéens insistèrent, se firent menaçants et, comme Bara refusait toujours d'obtempérer (comme disent les gendarmes), ils le tuèrent et s'emparèrent des bêtes.

— Mais à quel moment a-t-il crié : « Vive la République ! » ?

— Il n'a jamais crié « Vive la République ! » D'ailleurs, on ne voit pas pourquoi, alors qu'on lui demandait de livrer des che-

vaux, il aurait crié « Vive la République ! »
C'eût été grotesque... Tu imagines le dialogue :
« — Donne-moi tes chevaux !
« — Vive la République !
Maud était stupéfaite :
— Mais tu es sûr de ce que tu me dis là ?
— Je vais t'en donner la preuve.
Je pris un dossier dans la bibliothèque.
— Voici la lettre que le général Desmares
écrivit à la Convention le lendemain du drame.
Écoute : *J'implore ta justice, citoyen ministre,
et celle de la Convention pour la famille de
Joseph Bara. Trop jeune pour entrer dans les
troupes de la République, mais brûlant de la servir, cet enfant m'a accompagné depuis l'année
dernière. (...) Ce généreux enfant, entouré, hier,
par des brigands, a mieux aimé périr que de se
rendre et leur livrer les deux chevaux qu'il con-
duisait. Aussi vertueux que courageux, se bor-
nant à sa nourriture et à son habillement, il
faisait passer à sa mère tout ce qu'il pouvait se
procurer. Il l'a laissée avec plusieurs filles et son
jeune frère infirme sans aucune espèce de
secours. Je supplie la Convention de ne pas lais-
ser cette vertueuse mère dans l'horreur de l'indi-
gence.*
« Ainsi que tu as pu le constater, le général
Desmares ne dit pas un mot de l'anecdote

racontée dans les manuels scolaires... Mais si la Convention, émue par la mort courageuse de ce jeune homme, se borna à faire accorder un secours à Mme Bara, Robespierre, lui, vit tout le parti qu'il allait pouvoir tirer de l'événement. Il lui suffisait d'en modifier quelque peu les détails pour faire d'un obscur conducteur de chevaux un héros de la Révolution, un martyr de la République, bref un saint laïque... Il n'hésita pas.

« Quelques jours plus tard, il prend la parole et prononce ce discours qui se trouve reproduit dans le *Moniteur* (le *Journal officiel* de l'époque) à la date du 10 nivôse an II (30 décembre 1793) : *Parmi les belles actions qui se sont passées dans la Vendée et qui ont honoré la guerre de la liberté contre la tyrannie, la nation entière doit distinguer celle d'un jeune homme dont la mère a déjà occupé la Convention. Je veux parler de Bara : ce jeune homme âgé de treize ans fait des prodiges de valeur dans la Vendée.* **Entouré de brigands qui, d'un côté, lui présentèrent la mort, et de l'autre, lui demandaient de crier « Vive le Roi ! », il est mort en criant : « Vive la République ! »** *Ce jeune enfant nourrissait sa mère de sa paye. Il partageait ses soins entre l'amour filial et l'amour de la Patrie. Il n'est pas possible de choisir un plus* *bel exemple, un plus parfait modèle pour exciter dans les jeunes cœurs l'amour de la gloire, de la Patrie et de la vertu, et pour préparer les prodiges qu'opérera la génération naissante. En décernant les honneurs au jeune Bara, vous les décernerez à toutes les vertus de l'héroïsme, au courage, à l'amour filial, à l'amour de la Patrie.*

Les Français seuls ont des héros de treize ans. C'est la liberté qui produit des hommes d'un si grand caractère. Vous devez présenter ce modèle de magnanimité, de morale à tous les Français et à tous les peuples ; aux Français, afin qu'ils ambitionnent d'acquérir de semblables vertus et qu'ils attachent un grand prix au titre de citoyen français, aux autres peuples, afin qu'ils désespèrent de soumettre un peuple qui compte des héros dans un âge si tendre...

Je demande que les honneurs du Panthéon soient décernés à Bara, que cette fête soit promptement célébrée, et avec une pompe analogue à son objet et digne du héros à qui nous la destinons.

— Robespierre ne dit pas que le petit Bara jouait du tambour ?

— Il n'y a pas pensé... Heureusement, un autre y pensera pour lui. Cet autre, c'est David d'Angers. Chargé d'exécuter une statue du jeune garçon, il le représenta, nous dit le catalogue du Salon, « couché à terre, serrant contre son cœur la cocarde tricolore et tenant encore une des baguettes avec lesquelles il *battait la charge sur son tambour*. Il semble protester jusque dans la mort de son dévouement à la République mais aucun sentiment de haine n'a altéré la sérénité de son gracieux visage ; comme les héros antiques, il est tombé en souriant ».

— C'est extraordinaire ! dit Maud. Ainsi, peu à peu la légende s'améliore.

— Le Larousse du XIXe siècle va nous apporter un détail supplémentaire, écoute : « Le jeune Bara, emporté par cette fièvre d'héroïsme qui soufflait sur toute la France à cette glorieuse époque, s'enrôla dans un régiment qui combattait en Vendée. Il faisait régulièrement passer sa solde à sa mère, devenue veuve. À l'affaire de Cholet, il fit prisonniers deux Vendéens. Mais, entraîné par son ardeur loin de ses camarades, il fut entouré d'ennemis qui, prenant en pitié sa jeunesse, le sommèrent de crier : "Vive le Roi !" Il répondit par le cri de "Vive la République !" et tomba, percé de vingt coups de baïonnette, *en embrassant la cocarde tricolore*. Il n'était âgé que de treize ans ! »

— Après le tambour, voici donc la cocarde et les vingt coups de baïonnette...

— Dès lors, tous les éléments de l'image d'Épinal sont réunis. Les manuels vont pouvoir conter l'histoire héroïque du « petit tambour de la République ».

— Petit tambour qui n'était pas tambour, qui n'a pas crié « Vive la République ! », mais dont les restes reposent aujourd'hui au Panthéon.

— Même pas ! Car en l'an III, le 20 pluviôse exactement (c'est-à-dire le 8 février 1795), la Convention décida de faire un peu de ménage et elle expulsa du Panthéon les restes de plusieurs personnages qui avaient cessé de plaire, notamment Marat, Viala et le pauvre petit Bara...

— Qui a été éliminé sans tambour ni trompette, dit Maud en ricanant.

Je l'embrassai.

SOURCES

Hubert BIUCCHI : « Petit Bara, joli tambour, grosse caisse et baratin », dans *La Révolution face à l'Histoire*, 1989.

Joseph SANTO : *Histoire falsifiée, vérité rétablie.*

13

JULIETTE DODU, FAUSSE HÉROÏNE DE LA GUERRE DE 1870, ÉTAIT UNE « HORIZONTALE »

*Où l'on voit une postière « légère »
transformée en héroïne nationale*

Maud était allée à Bièvres visiter le musée de la Photographie. Elle rentra très excitée.

— J'ai vu les premières photos du monde faites par Hippolyte Bayard. Comme le mot « photographie » n'avait pas encore été inventé, il appelait cela des « dessins photogénés ». Et figure-toi qu'en sortant du musée j'ai découvert la statue d'une certaine Juliette Dodu. Tu connais ? Sur le socle il était indiqué « À Juliette Dodu, en mémoire de son héroïsme en 1870. » « Dodu », cela m'a rappelé une petite chanson de notre enfance que j'ai chantée en voiture jusqu'à Paris. Tu te souviens :

*C'était le dos
Dodu d'un dodu dindon...*

« Dis-moi, qui était cette Dodu qui n'était pas le dos d'un gros dindon ?

— Les dindons furent ceux qui l'admirèrent...

— Raconte.

— Regarde d'abord ce qu'en dit le dictionnaire.

Maud ouvrit le Larousse et lut :

— *Dodu (Lucie-Juliette), née à Saint-Denis (île de la Réunion) le 15 juin 1850, s'est distinguée d'une façon exceptionnelle durant la funeste guerre de 1870-1871. Fille d'un chirurgien de la marine française, elle avait été nommée directrice des postes du bureau télégraphique de Pithiviers (Loiret).*

— Je t'arrête tout de suite. Il y a déjà trop d'erreurs dans ces quelques lignes : Juliette Dodu n'est pas née en 1850, mais en 1848. Ensuite, son père n'était pas « chirurgien de la marine française », mais suppléant auxiliaire à l'hôpital militaire de Saint-Denis de la Réunion. Enfin, elle n'a pas été directrice des postes à Pithiviers, fonction qui avait été confiée à sa mère, mais simplement auxiliaire chargée du télégraphe. Ce fut toutefois suffisant, tu vas le voir, pour qu'elle bâtisse un extraordinaire roman et qu'elle se transforme en héroïne nationale... Lis la suite.

— *Lorsque, après la capitulation de Bazaine, l'armée du prince Frédéric-Charles de Prusse, qui voulait attaquer l'armée de la Loire, vint s'installer à Pithiviers, Juliette Dodu entra dans cette ville et s'empara du bureau télégraphique...*

— Je t'arrête encore. Imagines-tu une jeune fille de vingt-deux ans pénétrant dans une ville occupée par un corps d'armée prussien et s'emparant, seule, du « bureau télégraphique » qui devait être gardé militairement ?

— Cela me semble difficile, en effet.

— Et puis, comment s'est-elle « emparée » de cette poste ? Le revolver au poing, la hache à la ceinture ? On pense à Jeanne d'Arc investissant le fort des Tourelles à Orléans... Cela veut être sublime et c'est grotesque.

— Tu me parais bien sévère pour cette petite Dodu.

— Mais non ! Tout cela est invraisemblable... Pour la simple raison que cette petite Dodu, comme tu dis, n'avait pas besoin de s'emparer de la poste de Pithiviers puisqu'elle se trouvait déjà dans la place depuis des semaines en tant qu'auxiliaire dûment rétribuée... Lis la suite, c'est encore plus beau.

— *Avec une rare présence d'esprit, Mlle Dodu cacha ses appareils, profita de la nuit pour les mettre en communication avec le fil extérieur des*

Prussiens, attaché au mur, et put ainsi saisir au passage d'importantes dépêches qu'elle fit ensuite parvenir au général d'Aurelle de Paladines. Elle sauva ainsi d'une perte presque certaine un corps de notre armée qui allait être cerné par les Allemands. Prévenu à temps, Aurelle de Paladines fit sauter le pont de Gien et battit en retraite avant que les ennemis qui le poursuivaient n'eussent pu passer la Loire.

Dénoncée par sa domestique, Mlle Dodu fut traduite devant un conseil de guerre et condamnée à mort ; le prince Frédéric-Charles ne laissa pas exécuter la sentence : il gracia l'héroïque jeune fille et poussa même la générosité, chose assez rare chez lui, jusqu'à la féliciter de son courage. Avoue que c'est un beau geste de la part d'un ennemi !

— Je l'avoue... Malheureusement, tout cela est faux.

— Allons, bon ! Je commençais à être émue...

— Tu as un cœur de midinette... Le général d'Aurelle de Paladines, commandant en chef de l'armée de la Loire, fixé à Orléans, qui a écrit le récit complet de la campagne, ne fait pas la moindre allusion à l'intervention de Mlle Dodu. Or tu penses bien que, si l'histoire était vraie, ce grand militaire aurait glorifié comme il se doit l'acte héroïque de la petite postière. Son silence est donc accablant pour la demoiselle Dodu... Le même silence se retrouve d'ailleurs dans les ouvrages de tous les historiens qui se sont penchés sur cette période. Le lieutenant-colonel Rousset, par exemple, auteur d'une monumentale *Histoire générale de la guerre franco-allemande (1870-1871)*, en six volumes, qui abonde en détails puisqu'on y trouve jusqu'à l'état du ciel et l'épaisseur de la neige pour le 1er décembre 1870, ne dit mot d'une intervention providentielle de notre demoiselle Dodu.

« En outre, il existe un rapport dû à M. Steenackens, directeur général des Postes et Télégraphes de l'époque, qui décrit avec minutie toutes les actions héroïques ou même simplement remarquables que ses agents ont accomplies pendant la guerre de 1870-1871... Or, si Mlle Dodu figure bien sur la liste des "personnels requis pour assurer le service du télégraphe pendant cette période", il n'est nullement fait mention d'un quelconque acte d'héroïsme. Ce que ce directeur eût été trop heureux de signaler et de magnifier si la demoiselle avait réellement utilisé son poste pour transmettre des messages à l'état-major, au nez et à la barbe des Prussiens.

— Alors, qu'a-t-elle fait ?

— Rien.

— Mais qui a inventé tout cela ?

— Un journaliste du *Figaro* qui signait Jean de Paris. Son texte vaut la peine d'être lu. Je l'ai là, dans un dossier consacré aux « fausses héroïnes ».

J'allai chercher le document dans la bibliothèque et le donnai à Maud.

— Lis-le à haute voix, s'il te plaît...

Maud prit la coupure jaunie du *Figaro* daté du 26 mai 1877 et lut :

— *Vers la fin de novembre 1870, l'état-major prussien établi à Orléans passait au prince Frédéric-Charles à Pithiviers une dépêche lui indiquant la situation exacte d'un corps français en marche sur Gien et les manœuvres nécessaires pour envelopper cette troupe et la rejeter sur Orléans, où elle aurait dû mettre bas les armes.*

La directrice des télégraphes de Pithiviers était alors une jeune fille de vingt ans, Mlle Dodu...

— Nous y voilà. Mais lis la suite...

— *Il va sans dire que le premier soin des Allemands avait été de mettre leurs employés et leurs appareils dans le bureau du télégraphe et de convertir en sinécure les fonctions de la directrice française. Mlle Dodu fut reléguée au pre-*

mier étage, dans sa chambre. Or, dans cette chambre, passait le fil de la station... Attacher au-dessus et au-dessous de l'isolateur un fil qui passait à travers les appareils de transmission qu'elle avait emportés était une action aussi simple que périlleuse. On dérobait aux Prussiens leurs confidences militaires et on risquait d'être fusillé ! C'est ce que fit Mlle Dodu.

— Voilà donc la courageuse Mlle Dodu créditée d'une action d'éclat. La légende est née...

— Mais pourquoi le journaliste voulut-il faire de cette demoiselle une héroïne nationale ?

— À la demande de son directeur, M. de Villemesant, grand journaliste de l'époque qui, à soixante-cinq ans, était tombé amoureux de notre petite Dodu.

— Et ce fut donc lui le dindon !

— Le premier... car il y en eut d'autres. Mais lis la suite.

Maud reprit l'article du *Figaro* :

— *La dépêche allemande dont nous venons de parler s'imprima donc au premier étage sur les bandes de l'appareil morse et, continuant son chemin, fut reçue au rez-de-chaussée par les télégraphistes allemands, qui s'étonnèrent de la fai-*

blesse du courant, dont une partie était restée en route.

— Tu remarqueras que M. Jean de Paris, vraiment très bien renseigné, savait que les télégraphistes allemands « s'étonnaient de la faiblesse du courant dont une partie, nous dit-il avec l'assurance des spécialistes, était restée en route »...

Maud reprit sa lecture :

— *Mlle Dodu porta immédiatement la dépêche au sous-préfet, qui la fit traduire, en comprit l'importance et l'envoya en triple expédition au général français menacé. Les Allemands faisaient bonne garde. Deux exprès furent tués ; le troisième arriva. C'était assez : le corps français fut sauvé...*

Mlle Dodu fut mise à l'ordre du jour des Postes et Télégraphes et reçut une mention honorable du ministre de la Guerre. Les Prussiens apprirent son acte de courage et ils allaient le lui faire expier lorsque survint l'armistice. À cette époque, le prince Frédéric-Charles vint lui rendre visite et, la félicitant de son héroïque dévouement, lui proposa un poste élevé dans l'administration télégraphique allemande. Mlle Dodu refusa, comme on pense.

Maud était perplexe :

— Excuse-moi, mais je ne comprends pas très bien. Peux-tu m'expliquer pourquoi un prince prussien est venu féliciter une Française d'avoir détourné des dépêches destinées à ses services de renseignements ?

— Pour une simple raison : encore une fois, tout cela est faux !

— Comment peux-tu en être sûr ?

— Parce que le texte du journaliste du *Figaro* fourmille d'invraisemblances. Je vais t'indiquer les plus flagrantes. Premièrement : à la date où Juliette Dodu aurait capté une dépêche et l'aurait adressée au général d'Aurelle de Paladines, *les Prussiens n'étaient plus à Pithiviers depuis trois semaines.* D'autre part, un érudit local, l'abbé Gaud, a déclaré que l'histoire du message intercepté était hautement fantaisiste. « Capter au son, dit-il, des messages chiffrés écrits en langue allemande et passés en morse, et les retransmettre ensuite sans erreur, cela suppose une double connaissance de la langue allemande et des codes militaires secrets ! » Connaissance qu'était loin d'avoir notre apprentie télégraphiste, tu t'en doutes... Deuxième mensonge : Jean de Paris écrit que le message capté par Juliette Dodu a été porté au sous-préfet, qui l'a fait décrypter avant de l'envoyer au général d'Aurelle de

Paladines. Or personne, à la sous-préfecture de Pithiviers, ne possédait le code secret des Prussiens. Pas plus qu'au commandement de l'armée de la Loire, d'ailleurs... Enfin, il est un troisième mensonge qui ne figure pas dans le texte de Jean de Paris, mais dans celui du Larousse : il concerne l'arrestation et la condamnation de Juliette Dodu. Jamais notre postière ne fut traduite devant un conseil de guerre et condamnée à mort par les Prussiens. Le prince Frédéric-Charles n'eut donc pas à la gracier ni à la féliciter pour son courage.

— Peut-être ne la connut-il même pas.

— Oh si ! Très bien, même...

— Allons, bon. Je crains le pire !

— Tu peux... L'histoire locale raconte que, lorsque les Prussiens entrèrent dans Pithiviers, le prince Frédéric-Charles remarqua une ravissante demoiselle qui traversait la place de l'Hôtel-de-Ville. S'étant renseigné, il apprit qu'il s'agissait de la demoiselle des Postes. Le lendemain, il la convoqua. Juliette Dodu qui, elle aussi, avait remarqué le fringant officier prussien, arriva en frétillant comme d'habitude de sa partie uropygienne...

Maud sursauta :

— De sa quoi ?

— De sa « partie uropygienne ».

— Où as-tu été pêcher un mot pareil ?

— Cela désigne le croupion chez les oiseaux...

Maud ricana :

— Évidemment : « Elle frétillait du croupion », c'est moins noble, moins distingué et moins scientifique... Mais, la prochaine fois que tu emploieras un mot aussi savant, préviens-moi, j'ai failli avaler ma médaille de baptême.

— Le prince invita l'appétissante Dodu à dîner. Le soir, il était son amant, et le lendemain, tout Pithiviers le savait. Les braves gens prirent alors l'habitude, en voyant le prince Frédéric-Charles se rendre à la poste, de dire en ricanant : « Ah ! voilà le Prussien qui va chez sa p... postière ! »

« Et pendant des années, on continua à dire, avec cette liberté de langage propre aux habitants du Gâtinais et de la Beauce, que Juliette Dodu était une catin...

— Qui disait cela ?

— Le maire, le curé, le notaire, les commerçants, tout le monde... Aussi, tu imagines la stupéfaction de tous ces braves gens lorsqu'ils apprirent, en 1877, que la postière était décorée de la Médaille militaire ! Et en 1878, de la Légion d'honneur, ces deux décorations récompensant son attitude héroïque devant l'ennemi en novembre 1870 ! Fort heureusement pour la demoiselle, son administration l'avait mutée à la poste de Montreuil, ce qui lui évita de subir les sarcasmes des habitants de Pithiviers.

— Mais qui avait fait décorer Juliette Dodu ?

— Son amoureux, M. de Villemesant qui, ayant fait inventer de toutes pièces l'action héroïque que tu connais maintenant dans les détails, pensa que la légende devait normalement se conclure par une remise de décoration... Il en toucha deux mots à son ami Gambetta, qui en parla au maréchal-président Mac-Mahon, et la poitrine dodue de la pulpeuse postière fut bientôt ornée, d'abord de la Médaille militaire, puis de la Légion d'honneur...

— C'est extravagant !

— Ce n'est pas tout : l'État, les pouvoirs publics, bernés par M. de Villemesant, toujours aussi amoureux, ont voulu honorer l'héroïne nationale. Le nom de Juliette Dodu fut donné à un collège de Saint-Denis de la Réunion ; elle a une statue à Bièvres, œuvre de la duchesse d'Uzès (celle que tu as vue), une rue à Paris, et même une station de bus...

Maud se tordait :

— On descend à « Juliette Dodu » ?

— Oui.

— Donne-moi l'adresse, j'irai dès demain...

— C'est dans le Xe arrondissement, près de l'hôpital Saint-Louis... En outre, de nombreux peintres ont été inspirés par l'acte héroïque de notre postière. Au Salon de 1910 (trente-neuf ans après l'armistice), le public put admirer une grande toile de Jean Delahaye représentant le prince Frédéric-Charles graciant Juliette Dodu et lui demandant la permission de lui serrer la main... Il y eut aussi des chants et des hymnes à la gloire de notre héroïne. Les enfants des écoles de la Réunion chantaient par exemple une cantate composée par un poète local dont voici le début :

Gloire à Dodu !
Gloire à notre Juliette !
Notre vibrant hommage lui est dû.
Gloire à Dodu !
Toute sa gloire rejaillit sur nos têtes,
Gloire à Dodu ! (bis)
Nous te louons, valeureuse postière,
Qui as sauvé si bravement les tiens
En avalant des dépêches entières
Pour les soustraire aux officiers prussiens !
Gloire à Dodu !

Maud hoquetait :

— J'imagine les petits Réunionnais chantant *Gloire à Doudou* !

— Ainsi que tu as pu le remarquer en traversant les mers, l'histoire de Juliette Dodu s'est enrichie d'un détail intéressant. Elle ne se contentait pas d'intercepter les dépêches prussiennes : *elle les avalait* !

— Mais comment tout cela s'est-il terminé ? Comment Juliette Dodu, louée, décorée, magnifiée, a-t-elle vécu le reste de sa vie ? M. de Villemesant, je pense, n'était plus là pour la protéger ?

— Non. Il est mort en 1879, ayant vu avec jubilation le succès de son extraordinaire canular.

— Et elle ?

— Elle avait le don de s'allier des « sympathies » avec les hommes influents. Elle réussit à séduire le baron Larrey, fils du chirurgien de Napoléon, chirurgien lui-même, qui, célibataire, lui laissa en mourant toute sa fortune et la magnifique propriété qu'il possédait à Bièvres.

— Ce qui explique la présence de la statue que j'ai vue hier ! Et comment finit notre « héroïne » ?

— Elle vécut tranquillement de ses rentes, entourée de l'estime des Biévrois, qui lui vouaient un véritable culte. De temps en temps, elle recevait des admirateurs et des journalistes qui venaient l'interviewer sur ses exploits. Elle répondait, nous dit-on, « avec une touchante modestie »... Jamais, pourtant elle ne détrompa ses interlocuteurs. Un jour, cependant, elle laissa échapper ce demi-aveu : « Devant les actes qu'on me prête, j'en arrive à douter de l'existence de Jeanne d'Arc ! » Elle mourut à soixante et un ans, en 1909. Ses obsèques eurent lieu au Val-de-Grâce en présence de personnalités politiques. Le corbillard, digne d'un chef d'État, était tiré par des chevaux caparaçonnés et conduit par un cocher coiffé d'un bicorne. Il y eut des discours, des drapeaux...

— Est-ce qu'on chanta la cantate *Gloire à Dodu* ?

— Je ne pense pas. À moins qu'on l'ait transformée en cantique : « Je suis Dodu, voilà ma gloire ! »

— Tais-toi, dit Maud, écroulée de rire, tu es ignoble.

SOURCES

Jacques-Henry BAUCHY : « Juliette Dodu », dans *Histoires d'Amour des provinces de France* (Orléanais), Presses de la Cité.

Jean de PARIS : Article dans *le Figaro* du 26 mai 1877.

Maurice HAMEL : « L'héroïsme de Juliette Dodu n'était-il qu'une imposture ? », *Historia* n° 155.

ANONYME : « Juliette Dodu, héroïne ou catin ? » dans *Le Courrier du Loiret*, janvier à mai 1984.

14

L'HISTOIRE ROCAMBOLESQUE
DE MARTHE RICHARD

*Où l'on voit que l'héroïne nationale
a fondé sa légende sur une incroyable imposture*

Maud avait accompagné une amie dans un ciné-club. Elle revint enchantée :

— On faisait vraiment des films intéressants et instructifs autrefois !

— Qu'as-tu vu ?

— *Marthe Richard, espionne au service de la France*, de Maurice Bernard, avec Edwige Feuillère et Erich von Stroheim. C'est passionnant. Quelle femme merveilleuse ! Quelle héroïne ! Une Jeanne d'Arc des temps modernes !

— Excuse-moi de refréner un peu ton enthousiasme. En fait, Marthe Richard était assez éloignée de l'image que l'on se fait de la Pucelle...

— Oh ! tu sais, je ne suis pas idiote ! J'ai bien compris qu'elle avait eu, avec les officiers allemands installés en Espagne, des relations que Jeanne d'Arc n'a jamais eues avec personne...

— Ta perspicacité t'honore.

— Ne te moque pas. Il n'empêche que cette femme a accompli des actions prodigieuses et a vécu dans son enfance des moments dramatiques... Il y a, dans le film, des épisodes très émouvants. Par exemple, lorsque les parents de Marthe, main dans la main, sont fusillés par un peloton allemand et qu'elle tente de fuir avec sa petite sœur, qui est sauvagement abattue par une sentinelle boche...

— Et cela t'a émue ?

— Au point que je ne vais pas dormir cette nuit !

— Si, tu vas dormir. Car je te rassure : tout cela est inventé.

— Quoi ?

— Mais oui ! Et il y a bien d'autres choses fausses dans l'histoire de Marthe Richard. Veux-tu que je te raconte sa vie, la vraie ? Pas celle qui a été imaginée par le scénariste du film que tu as vu. L'histoire authentique...

— Je m'attends au pire.

— Tu as raison. Assieds-toi et écoute.

Maud s'installa confortablement et me fixa d'un air dubitatif.

— Ton héroïne est née à Blamont, en Meurthe-et-Moselle, le 15 août 1889, sous le nom de Marthe Betenfeld. À quatorze ans, elle est apprentie culottière à Nancy. À seize ans, elle aime à se promener du côté des casernes, où elle séduit quelques recrues. Hélas, son contact n'est pas sans danger, car un jour, elle est interdite sur le territoire militaire de Nancy pour avoir contaminé un jeune soldat... Elle quitte alors la Lorraine pour venir s'installer à Paris, où elle continue sa galante activité dans un lieu que quelques dames bien renseignées lui ont indiqué : rue Godot-de-Mauroy. C'est là qu'un soir de 1907 elle rencontre un riche industriel, M. Richer, qui s'éprend d'elle et décide, comme on dit dans les romans populaires, de la « sortir du ruisseau » et de l'épouser. La vie de l'ouvrière en culottes s'en trouve considérablement changée. Elle a maintenant une superbe maison et une 16 CV. En 1912, M. Richer offre même un avion à sa femme, qui devient ainsi une des premières aviatrices de France.

— J'ai lu, en effet, qu'elle avait même réussi à décrocher le record féminin de durée en reliant Le Crotoy à Zurich.

— Cette information, que la presse de l'époque a publiée en gros titre est, en fait, son premier mensonge.

— Ce n'était pas vrai ?

— Entièrement faux ! D'abord, elle ne pilotait pas. Elle s'est envolée comme passagère en compagnie du pilote Poulet ; mais l'avion eut de si nombreuses pannes que Poulet décida de finir le voyage par le train.

— Quoi ?

— Oui, par le train ! Après s'être posés secrètement quelque part en Bourgogne, ils démontent l'appareil, le mettent dans des caisses qu'ils installent sur un wagon. Et c'est avec cet avion en morceaux qu'ils arrivent à Zurich, où des mécaniciens amis le reconstituent au cours de la nuit et le tirent jusqu'à une prairie. Là, Marthe et son ami feignent un atterrissage... On les porte en triomphe, la presse vient les interviewer et, grâce à la complicité d'hommes politiques amis de la future « espionne », le record est homologué.

« En 1914, M. Richer est mobilisé, et Marthe, qui a toujours aimé la fréquentation des militaires, fonde, avec quelques femmes pilotes, l'Union patriotique des aviatrices françaises. Puis elle va proposer le concours de cette association au général Hirschauer. Mais cet officier, croyant sans doute à une plaisanterie de mauvais goût, lui répond sèchement : "Je ne veux pas de votre Upaf !" et lui désigne la porte.

— Il faut dire que le nom était mal choisi.

— En 1916, M. Richer est tué à la guerre. Sa veuve, qui, pour lors, entretient des relations suivies avec un jeune anarchiste russe appartenant au deuxième bureau, manifeste le désir de faire de l'espionnage. Son amant la présente au capitaine Ladoux, qui la charge d'une mission en Espagne. Elle doit entrer en contact avec von Krohn, attaché naval à Madrid. Voici comment elle raconte la scène dans ses *Mémoires*, publiés par *Paris-Soir*. Écoute, on croirait un roman burlesque.

« Le capitaine Ladoux m'avait demandé d'entrer en contact, de façon adroite, avec von Krohn. Je savais qu'il prenait l'apéritif tous les jours dans un grand café madrilène. Je m'y rendis et le reconnus à la terrasse où il était avec un ami. Sans hésiter — mais mon cœur battait — je me dirigeai vers la table voisine de la sienne et, en passant, d'un coup de croupe habile, renversai son verre.

« — Oh, pardon, monsieur, m'écriai-je en français. Je suis désolée.

« — Ne le soyez pas, madame, me répondit von Krohn en souriant, car vous venez de me faire gagner un pari. En vous voyant entrer dans ce café, si distinguée et si élégante, j'ai dit à mon ami : "Je te parie que cette jeune femme est française." Vos quelques mots d'excuse me prouvent que j'avais raison.

« — Hélas non, cher monsieur. Si je parle français, c'est que je suis belge par mon père et suissesse par ma mère.

« Il fallait, n'est-ce pas, que je sois tout à fait neutre !

« Von Krohn fut beau joueur : "Tant pis ! dit-il. Pour fêter notre rencontre, je vous invite à boire un verre avec nous." Mes affaires étaient en bonne voie. Je pouvais être fière de moi. J'acceptai et commençai immédiatement mon travail...

« — Messieurs, dis-je, je ne suis en Espagne que depuis quelques jours, et comme j'appartiens à une nation neutre, je ne comprends rien à la guerre. Peut-être pourriez-vous m'expliquer certaines choses ? Par exemple, on m'a dit qu'il y avait des sous-marins allemands dans les ports espagnols... Est-ce que cela est possible ?

« Les deux hommes éclatèrent de rire en se tapant sur les cuisses :

« — Bien sûr ! me dit von Krohn. Si un sous-marin est en difficulté, il a le droit de demander l'aide d'un pays neutre.

« — Ah ! comme c'est agréable d'avoir affaire à des hommes qui savent expliquer les choses ! m'écriai-je. Il faudrait que nous nous rencontrions souvent pour que vous m'éclairiez sur ce que je ne comprends pas.

« Je n'étais pas mécontente de mon astuce !

« Les deux hommes, flattés et tout émoustillés à l'idée de revoir une jolie femme, acceptèrent avec empressement et nous décidâmes de nous revoir tous les jours à 11 h 30 dans ce café. Dès lors, très régulièrement, nous nous retrouvâmes à cet endroit pour parler de la guerre et des événements politiques... Von Krohn était très aimable, mais je préférais parler avec son ami. Un jour où j'étais seule avec celui-ci, je le lui dis. Il hocha la tête :

« — Il est normal qu'il soit moins bavard que moi, ajouta-t-il, c'est un espion.

« — Un espion ? m'écriai-je. Comme c'est excitant !

« — Mais ne lui dites pas que je vous l'ai dit. Il ne tient pas à ce que cela se sache...

« Elle raconte ensuite comment von Krohn lui fit une cour pressante et comment, après un dîner dans un grand restaurant de Madrid, elle se retrouva dans la chambre de l'attaché naval allemand.

« — Je sais, lui avait dit le capitaine Ladoux, quelle répugnance vous avez pour les Allemands depuis que votre père, en 1870, a été poursuivi par les uhlans. Mais vous devez faire taire votre haine.

« Elle la fit si bien taire qu'elle se retrouva, au bout d'un court moment, entièrement nue dans le lit de von Krohn.

« J'y étais entrée les yeux fermés, explique-t-elle, en pensant à ma patrie. En retirant ma culotte (je m'excuse auprès des lecteurs de ce détail un peu scabreux), je murmurai : "C'est pour toi, ma patrie, que je fais cela !" Von Krohn vint me rejoindre. Quand il me prit dans ses bras et commença à me posséder, au fond de moi et de toutes mes forces je criai alors silencieusement : "Vive la France !"

Maud se tordait de rire :
— C'est beau comme du Déroulède, dit-elle.
— La liaison de l'attaché naval et de Marthe devint bientôt officielle. Ils se montraient ensemble dans des dîners, des réceptions, des vernissages... Or, un jour qu'ils circulaient dans la voiture de l'ambassade, ils eurent un accident. Marthe, assez grièvement touchée,

fut transportée à l'hôpital dans un demi-coma. Or là, dans son délire, elle prononça des paroles qui étonnèrent beaucoup von Krohn :

« — Il faut prévenir le capitaine Ladoux, bredouillait-elle.

« Quand elle eut retrouvé ses esprits, von Krohn vint la voir.

« — Marthe, lui dit-il, dans votre délire, vous avez parlé du capitaine Ladoux. Dites-moi la vérité. Travaillez-vous pour le deuxième bureau français ?

« — Oui, Hans, quand je vous ai connu, je travaillais pour les services de renseignements français. Mais dès l'instant où j'ai été à vous, je vous ai aimé et je n'ai plus envoyé à Paris que de faux renseignements.

« — Marthe, dois-je vous croire ?

« — Je vous en supplie...

« — J'ai confiance en vous, mais je me vois obligé de vous mettre à l'épreuve. Je vais vous charger d'une mission en Amérique du Sud.

« Je frémis de tout mon être. Allais-je être obligée d'assassiner des Français ? Ou des amis de ma patrie ? »

« Marthe raconte alors une histoire rocambolesque, digne d'une bande dessinée pour enfants, qui pourrait s'intituler *Bécassine agent secret* :

« Von Krohn m'expliqua que, malgré les sous-marins allemands, des bateaux alliés apportaient régulièrement en Europe des cargaisons de blé provenant d'Argentine.

« — Comme nous ne pouvons pas couler tous ces navires, me dit-il, nos savants ont eu une idée : envoyer des charançons à Buenos Aires pour détruire le blé sur place. Et ce sera votre mission, Marthe : vous irez porter ces précieuses bestioles en Amérique du Sud.

« Quelques jours plus tard, j'embarquai sur la *Reina Christina*, porteuse de sortes de bouteilles Thermos contenant de vigoureux charançons sélectionnés par l'Institut d'agriculture de Berlin. Cette mission dont le succès risquait d'affamer les Français tourmentait ma conscience. Confortablement installée dans une cabine de luxe, je passais des nuits blanches à chercher un moyen de tout faire échouer. Un matin, une idée très simple me vint : j'avais dans mes bagages un petit réchaud à alcool. J'y fis cuire les charançons.

« En arrivant à Buenos Aires, j'avisai mon "correspondant". Suivant le code établi par von Krohn, je mis mon index droit dans ma narine droite, l'homme mit le sien dans sa narine gauche et vint vers moi.

« — Vous avez le paquet ?

« — Voici !

« Je lui donnai la bouteille Thermos. Il l'ouvrit, regarda à l'intérieur.

« — Mais ils sont morts ! dit-il soudain.

« Allait-il deviner ma manœuvre ? Non !

« — Où avez-vous mis cette bouteille pendant le voyage ?

« — Au Frigidaire...

« Il explosa :

« — Mais malheureuse, on ne met jamais les charançons au Frigidaire !

« — Je ne savais pas...

« — Tout est à recommencer !

« Marthe retourna en Espagne pour chercher d'autres charançons. Ce fut son unique mission.

Maud sursauta :

— Son unique mission ! Ce n'est pas possible... Alors, la grande espionne au service de la France ?

— Du roman.

— Ce que j'ai vu dans le film avec Edwige Feuillère ?

— Du roman ! En rentrant à Madrid, elle expliqua à von Krohn qu'elle devait aller au chevet de sa mère souffrante. Il l'autorisa à rentrer en France, d'où elle ne revint jamais. Sa carrière de « grande espionne » était terminée. Et quand je t'aurai précisé que l'épisode des charançons a été entièrement inventé par le « nègre » qui a écrit les souvenirs de notre héroïne, tu avoueras qu'il ne reste pas grand-chose de la nouvelle Jeanne d'Arc...

— C'est stupéfiant ! Et que fit-elle ensuite ?

— Elle se rendit au deuxième bureau, où elle eut la surprise d'apprendre que le capitaine Ladoux était en prison.

— Allons bon !

— Cela fait partie des aléas du métier... Elle-même avait été rayée des cadres. Alors elle rentra chez elle, où elle continua à se faire des relations utiles et agréables... En 1926, elle épouse un Anglais richissime, M. Thomas Crompton, directeur financier de la Fondation Rockefeller, qui meurt subitement à Genève deux ans plus tard, lui laissant une immense fortune. Mme veuve Crompton mène alors la grande vie. Elle est partout où l'on s'amuse. Elle a une propriété à Bougival, où elle organise des parties fines en compagnie d'une de ses amies, une ancienne danseuse de music-hall connue sous le nom de Loulou, qu'un magnat du pétrole, M. Alexandre Aaronsohu, a littéralement couverte de bijoux...

« Sans doute Marthe continuerait-elle ainsi, dans le plus strict anonymat, sa vie de veuve joyeuse si, un beau jour de 1930, le capitaine Ladoux, libéré, réhabilité et nommé commandant n'avait brusquement l'idée d'écrire des romans d'espionnage. Romans qu'il présenta, d'ailleurs, avec un certain toupet, comme des "Mémoires". C'est alors que son éditeur lui dit :

« — Vos livres manquent de femmes. Vous n'avez pas eu de belles espionnes dans vos services ?

« — Les « belles espionnes », c'est du cinéma.

« — Cherchez bien !

« — Ah, si ! j'ai utilisé une assez belle rousse que j'ai envoyée dans le lit d'un attaché naval allemand à Madrid. Mais elle n'a absolument rien fait.

« — Cela n'a pas d'importance ! Attribuez-lui des aventures imaginaires.

« Et Ladoux écrit un livre dans lequel il décrit les exploits d'une certaine Marthe Richer.

« L'éditeur, ayant lu le manuscrit, se frotta les mains :

« — Parfait ! Mais ne craignez-vous pas que cette Marthe Richer nous fasse un procès ?

« — Je ne sais même pas si elle vit encore.

« — Écoutez, pour plus de sûreté, nous allons changer son nom. Appelons-la Marthe Richard.

« Et voilà comment notre héroïne trouva son nom...

« Le livre, qui s'intitulait *Marthe Richard, espionne au service de la France*, eut un énorme succès. Or, un matin, on sonne chez le commandant Ladoux. Il va ouvrir et se trouve devant une femme fort élégante qu'il ne reconnaît pas.

« — Bonjour, commandant. Vous ne vous souvenez pas de moi ? Je suis cette Marthe Richard dont vous avez conté les aventures. Et, sur les conseils d'un ami avocat, je viens vous demander 50 % de vos droits d'auteur...

« Le commandant Ladoux éclata de rire.

« — Vous savez mieux que personne, chère amie, que les aventures que je vous attribue sont entièrement inventées... Donc, je ne vous dois rien.

« — Peut-être, mais vous présentez votre ouvrage comme un livre de souvenirs. Si je

révèle que c'est un roman, vous serez déconsi-
déré et vos ventes vont s'effondrer.

« L'ancien chef du deuxième bureau réflé-
chit quelques secondes.

« — Je ne vous donnerai pas un centime,
mais une idée... Grâce à moi, vous existez
maintenant sous le nom de Marthe Richard...
Eh bien, écrivez vos Mémoires...

« Mme Crompton eut un large sourire :

« — Merci. Vous êtes génial ! Au revoir,
commandant.

« Et elle alla trouver un journaliste qui
accepta d'écrire un livre encore plus rocambolesque que celui de Ladoux, sous le titre *Ma
vie d'espionne au service de la France*. Livre
dont on devait faire le film que tu as vu.

« Ce livre, précédé d'une publicité monstre
dans la presse, remporta un immense succès
et, du jour au lendemain, Marthe Richard
devint une héroïne nationale.

— Mais dis-moi, il n'y a pas un petit détail
qui étonnait le bon peuple ?

— Lequel ?

— Eh bien, le fait que cette grande et courageuse Française n'ait jamais reçu de décoration ?

— Si, bien sûr, et de nombreux patriotes
accusaient la France radicale d'oublier ses

héros. On interpellait dans les journaux M. Édouard Herriot, lequel était bien embarrassé pour répondre car, étant chef du gouvernement, il savait que Marthe n'avait accompli aucun exploit héroïque. Pourtant, il aurait aimé lui faire plaisir, pour des raisons qui n'avaient rien à voir avec l'espionnage...

— Ah bon ! Lesquelles ?

— Parce qu'il était son amant.

Maud éclata de rire :

— Cela devient cornélien, ton histoire !

— Heureusement le destin vint au secours de nos deux tourtereaux.

Maud s'esclaffa :

— C'est Édouard Herriot que tu qualifies de tourtereau ?

— Mais oui... Écoute bien. Si Marthe Richard avait alors quarante-quatre ans, Herriot en avait soixante et un, ce qui est encore un âge convenable pour un amoureux. D'autant que, d'après ses familiers, sa virilité dépassait celle du roi Dagobert et de Bill Clinton.

— Le Viagra, déjà ?

— Pas la peine. Il était, paraît-il, atteint de priapisme et l'on prétendait que le son des cloches avait un effet presque magique sur son... ressort intime ! Au point que Georges de La Fouchardière, le célèbre chroniqueur de l'*Œu-*

vre, écrivit tout un article sur le danger que courait Édouard Herriot, alors président de la Chambre, lorsqu'il agitait sa clochette pour calmer les débats de l'Assemblée.

— Mais dis-moi ; la presse était alors beaucoup plus olé olé qu'aujourd'hui !

— Tu as raison. Chaque matin, les Français se tordaient de rire en lisant (ceux de droite) les éditoriaux de Léon Daudet, et (ceux de gauche) les chroniques de La Fouchardière. Tout cela était spirituel, tonique et, de plus, admirablement écrit.

— J'ai l'impression que tu éprouves une sorte de nostalgie.

— Ton impression est très bonne, ma chérie !

— Revenons, si tu veux bien, à Marthe Richard, que nous avons un peu oubliée.

— Cette chère dame bénéficia d'un petit tour de passe-passe gouvernemental dont l'auteur fut probablement Herriot lui-même. En 1933, la République, qui n'avait pas pu remercier M. Crompton de ses bienfaits (c'est lui qui finança, entre autres, la restauration du Petit Trianon), pensa qu'il serait élégant de décorer sa veuve. C'est pourquoi le *Journal officiel* du 17 janvier 1933 annonça que la Légion d'honneur était décernée à Mme veuve Crompton, *au titre des Affaires étrangères...* Ce n'était pas à titre militaire, il n'y avait pas de citation, mais baste ! Marthe avait son ruban à arborer dans les cérémonies officielles. C'était le principal !

« En 1937, tout le pays alla voir le film qui t'a fait vibrer hier soir. Des gens criaient "Vive la France !" lorsque Edwige Feuillère, qui tient le rôle de Marthe Richard, se laisse embrasser par Erich von Stroheim, et Mme Crompton pensa qu'il serait convenable, maintenant qu'elle était une héroïne nationale, de redevenir française. Hélas ! toutes ses demandes de réintégration furent refusées.

« Arrive la guerre et les braves gens s'inquiètent : "Pourvu que Marthe Richard se sauve !", "Pourvu que les Allemands ne la prennent pas, après tout ce qu'elle leur a fait en 14 !"

« Après l'armistice, elle va s'installer à Vichy, puis elle rentre à Paris, où, de nouveau, les bonnes âmes tremblent pour elle.

« — Quel courage ! dit-on. Elle les nargue !

— C'est vrai... Et les Allemands ne l'ont jamais inquiétée ?

— Jamais. Et sais-tu pourquoi ? Pour une raison très simple : ils ne la connaissaient pas ! On n'arrête pas une héroïne de roman... Or cette indifférence à son égard finit par la vexer. Un jour, elle alla à la Gestapo où elle déclara :

« — Messieurs, je suis Marthe Richard, celle qui vous a fait tant de mal au cours de la dernière guerre.

« L'officier lui fit répéter son nom, qui ne lui disait rien. Son goût de l'aventure la poussa-t-elle alors à faire des propositions de collaboration avec les hommes de la rue Lauriston ? Faute de preuves, je ne me permettrai pas de le supposer ; mais certains historiens moins scrupuleux que moi n'hésitent pas à l'écrire... Il est vrai que, dès cette époque, on va la rencontrer assez souvent avec des membres notoires de la Gestapo, notamment le célèbre gangster Spirito.

Maud faillit s'étrangler :

— Marthe Richard, amie des gestapistes !

— Ces relations étranges devaient lui valoir de gros ennuis. Peu de temps après la Libération, elle rencontre dans la rue de Châteaudun son ex-amie Loulou, devenue Mme Louise Cardot. Elles s'embrassent, ravies de se revoir, et soudain Loulou s'écrie :

« — Mais, Marthe, vous avez le bracelet qui m'a été volé il y a trois ans !

« Marthe se redresse :

« — Quel bracelet ? Des bracelets comme cela, il y en a des milliers !

« — Non, non, je le reconnais bien. Il m'a été volé par des faux policiers allemands qui m'ont cambriolée en 1942. Ils m'ont pris non seulement tous mes bijoux pour une valeur de 7 millions (de l'époque), mais encore 300 000 francs, 900 livres anglaises, et trois bons de réarmement de 100 000 francs qui étaient cachés dans un secrétaire. Sans doute étaient-ils bien renseignés... Mais ce bracelet, Marthe, comment le possédez-vous ?

« Ton héroïne commet alors une grosse erreur : elle, qui est d'habitude maîtresse de ses nerfs, entre dans une grande colère et injurie Mme Cardot :

« — Qu'allez-vous insinuer ? Je vous répète que des bracelets comme cela, il en existe des milliers ! Et puis fichez-moi la paix !

« Et elle tourne les talons.

« Ce comportement étonne Loulou, qui se souvient alors qu'après son cambriolage elle avait soupçonné un Corse de ses amis d'être l'instigateur du coup. Ce personnage, qui appartenait à la Gestapo, était un ami de Spirito, lequel — elle le sait — est un ami de Marthe... Ses soupçons alors se précisent et, comme l'attitude de ton héroïne l'a ulcérée, elle s'en va immédiatement au commissariat de la rue Taitbout raconter tout cela à la police. Là, le commissaire lui rit au nez :

« — Quoi ? Vous prétendez que Mme Marthe Richard aurait fait voler vos bijoux ? Allons, soyons sérieux...

« C'est comme si Loulou était venue accuser Jeanne d'Arc d'avoir cambriolé son appartement. Le dossier fut rapidement classé.

« Marthe Richard allait-elle rentrer dans l'ombre ? Non ! Toujours attirée par l'aventure, elle se lance alors dans la politique et, en 1945, se présente aux élections municipales de Paris, dans le IVe arrondissement. Elle est élue sur une liste de la Résistance unifiée, proche du MRP, avec cette étiquette : "Marthe Richard, l'héroïne des deux guerres".

« Mais elle a bientôt des ennuis. Une dame ayant déposé une plainte contre elle, on apprend que la championne de la "Résistance unifiée" a exigé la somme de 300 000 francs pour faire sortir de Fresnes un Suisse incarcéré sous l'inculpation de trafic avec les Allemands. Mme Crompton est arrêtée avec deux complices, puis très curieusement mise en liberté provisoire. Mieux ! le 20 février 1948, tandis que ses comparses subissent des peines de prison ferme, Marthe est condamnée à 15 000 francs d'amende et amnistiée aussitôt *en raison de son glorieux passé...*

— Mais à quel moment a-t-elle eu le temps de s'occuper des maisons closes ?

— J'y arrive. En 1946, le MRP entreprit une campagne contre la prostitution. Cela lui donna une idée. Elle alla trouver les tenanciers de maisons de tolérance et leur dit :

« — Il est question de fermer vos établissements. Vous savez que j'ai un gros poids au conseil municipal. Je n'ai qu'un mot à dire pour qu'on renonce à ce projet... Mais ce mot, bien entendu, je ne le dirai que si vous êtes généreux.

« Les tauliers — car c'est ainsi qu'on les appelle — lui rirent au nez :

« — Vous n'aurez pas un sou, car nous sommes intouchables.

« Marthe décida alors de prendre la direction des opérations et, par la loi du 13 avril 1946, elle obtint la fermeture des maisons. C'est la fameuse loi "Marthe Richard" qui prévoit également — car l'ancienne petite prostituée de Nancy a pensé à tout — la destruction du fichier national de la prostitution.

— La petite futée !

— Oui, mais il y a un détail qui lui a échappé et que découvre, un beau matin de

1948, un fonctionnaire de la chancellerie — et la chose provoque un scandale : Mme Crompton a été élue frauduleusement au conseil municipal de Paris puisqu'elle est toujours anglaise ! Ce qui rend sans effet tous les arrêtés votés pendant son mandat. Par conséquent, le texte sur les maisons closes risque d'être annulé... Une fois de plus, Marthe se démène, fait jouer ses relations et l'on étouffe le scandale. Son élection n'est même pas invalidée. On lui interdit seulement de se représenter désormais devant les électeurs.

« Tu penses bien que ces protections occultes, ces passe-droits, ce toupet monstre finirent par agacer certains journalistes. Et l'un des plus virulents de l'époque, Jean Galtier-Boissière, directeur du *Crapouillot*, publia un numéro spécial intitulé "La farce des services secrets". Il y écrit, entre autres, après avoir rappelé la liaison de Marthe avec von Krohn : "Elle a rempli à Madrid un office que, trente ans plus tard, elle a prétendu interdire à des milliers de malheureuses qui ne pouvaient évidemment s'autoriser de mobiles aussi patriotiques que les siens."

« Furieuse, l'ancienne accompagnatrice de charançons attaque Galtier-Boissière et demande un million de dommages et intérêts. Elle obtient un franc.

« C'est à ce moment qu'un inspecteur de la Sûreté nationale, Jacques Delarue — devenu depuis écrivain, historien de la Gestapo et de la Résistance —, commence à s'intéresser à Mme Crompton. Il vient de démasquer un faux héros qui, sous le nom de Martin de Hauteclair, a reçu le prix Vérité pour des souvenirs de guerre entièrement fabriqués et, au cours d'un cocktail où notre héroïne croupillonne au milieu d'une meute d'admirateurs, il pense qu'il y a peut-être d'autres impostures à dénoncer.

Il entreprend aussitôt une enquête minutieuse qui durera deux ans. En janvier 1954, il a réuni suffisamment d'éléments pour qu'une nouvelle information soit ouverte dans l'affaire du cambriolage de Mme Cardot. Et le 10 juin 1954, il se présente au domicile de Marthe muni d'un mandat d'amener, l'héroïne nationale étant accusée d'organisation de malfaiteurs, de vol de bijoux et de recel. Le soir, elle couchait à la prison de la Petite Roquette, maison très close qu'elle ne connaissait pas encore. Elle y resta deux semaines. Une fois encore, des protections puissantes et mystérieuses étaient intervenues pour la sortir d'affaire.

— J'espère qu'après tous ces ennuis, elle est enfin restée tranquille ?

— Pas du tout ! Elle a fondé un prix de littérature érotique : le prix Tabou. Elle a publié des livres, fait des conférences pour donner des détails inédits sur sa vie d'espionne, avant de mourir, en 1982, à quatre-vingt-douze ans, après une vie bien remplie.

— Bien remplie par quoi ?

— Par du bluff, de l'imposture, en un mot : par rien !

Maud était pensive.

— En somme, conclut-elle, tout le monde ment : les historiens, les journalistes, les hommes politiques, les généraux, les espions...

— Taine qui, tu le sais, était curieux de tout et possédait beaucoup d'humour, avait fait une petite enquête sur ce sujet. Voici sa conclusion : « L'honnête homme, à Paris, ment dix fois par jour, l'honnête femme, vingt fois par jour, l'homme du monde, cent fois par jour... » Et il ajoutait cette phrase digne de Sacha Guitry : « On n'a jamais pu compter combien de fois par jour ment une femme du monde... »

— Je ne savais pas que Taine était aussi drôle..

— Il pouvait avoir également la dent dure. Un jour qu'il déclarait : « Mentez, mentez, il en restera toujours quelque chose ! », quelqu'un lui demanda : « Mais il en restera quoi ? » Il répondit en souriant : « Des manuels d'Histoire ! »

« Vois-tu, si j'avais un jour d'idée d'écrire un livre sur les mensonges "historiques", j'utiliserais cette boutade en guise de conclusion...

SOURCES

Marthē RICHARD : *Ma vie d'espionne au service de la France*, Éd. de France.

id. : *Espions de guerre et de paix*, Éd. de France.

id. : *L'Espionne au casque d'or*, feuilleton paru dans *Paris-Soir* en 1937.

id. : *Mes dernières missions secrètes* (Espagne, 1936-1938), Éd. de France, 1939.

Commandant LADOUX : *Marthe Richard, espionne au service de la France*, Éd. du Masque.

Jean GALTIER-BOISSIÈRE : « La farce des services secrets », *Le Crapouillot*, n° 15.

ROMI : « Enfin la vérité sur Marthe Richard », paru dans *Paris-Villages* n° 9, 1985.

ANONYME : « Marthe Richard ou quarante ans d'imposture », *Noir et Blanc*, 21 juin 1954.

ANONYME : « Marthe Richard, qui s'abandonna par patriotisme, ne veut pas que les femmes se prostituent pour autre chose », *Samedi-Soir*, 2 février 1946.

ANONYME : « Du côté de Marthe Richard », *Le Petit Crapouillot*, mars 1954.

TABLE